# ESPAÑOL CON FINES ESPECÍFICOS

# PROYECTO EN... ESPAÑOL COMERCIAL

Aurora Centellas Rodrigo

Premiado en el concurso europeo
INNOVALINGUA de EXPOLINGUA - 97

Tlf.: 308 51 42
Fax: 319 93 09
e-mail:edinumen@mail.ddnet.es
Internet: http://www.ddnet.es/numen
Piamonte, 7 - 28004-Madrid
Diseño y maquetación: Antonio Arias y Juanjo López
Dibujos: Juan V. Camuñas
Depósito Legal: M-13339-1997
I.S.B.N.: 84-89756-78-3
Imprime: Gráficas Hispalisa
Coslada (Madrid)

# PRESENTACIÓN

¿Qué mejor forma de aprender español comercial que haciendo negocios?

**Proyecto en... Español Comercial** es un manual que ayudará al alumno a desenvolverse en español en el mundo empresarial.

El libro guiará al estudiante por las diversas etapas y procesos inherentes a la creación y puesta en marcha de una empresa: diseño del producto, cálculo de costes, estimación de beneficios, selección de personal, definición de vías de distribución y de estrategias mercantiles, líneas de publicidad...

Siguiendo el enfoque por tareas el alumno adquirirá pauiatinamente y de forma ordenada los conocimientos léxico-gramaticales y nocio-funcionales necesarios, teniendo presente, en todo momento, la realidad empresarial y permitiendo al estudiante desarrollar su creatividad en el tipo de empresa de su elección.

**Proyecto en... Español Comercial** consta de una lección introductoria en la que aparecen algunos principios generales que orientarán al alumno en la creación de su empresa; ocho unidades temáticas, cada una de las cuales desarrolla tareas intermedias que conducen a una tarea final que, a su vez, da paso a la sección Apunte (cuyo objetivo es que el alumno organice lo aprendido en cada unidad y, de esta manera, reflexione sobre el proyecto de empresa en el que está involucrado) y, finalmente, un apéndice donde se enmarca el proyecto final de la empresa creada por el alumno. Cada unidad temática presenta la siguiente estructura:

- *Algo de vocabulario sobre...*, el tema correspondiente que se estudia.
- *Lo que hay que saber sobre...*, contenido temático, textos gráficos, titulares...
- *Lo que se dice sobre...*, audios, teléfono, textos...
- *Lo que se escribe sobre...*, correspondencia, abreviaturas, siglas, expresiones...
- *Funciones:* las relacionadas con las tareas propuestas en cada unidad.
- *Contenidos gramaticales*: los aparecidos en cada tema.

Al final del libro se dan las transcripciones y la clave de ejercicios.

**Proyecto en... Español Comercial** cuenta además con un **libro de ejercicios** y una **casete**.

**Aurora Centellas Rodrigo**

## Algunas reflexiones acerca del libro

La mayoría de los estudiantes que quieren aprender español comercial (español con fines específicos) conocen perfectamente su área o campo de trabajo, y lo que realmente necesitan es el español para comunicarse dentro de dicha área, es decir, confianza y fluidez en el habla, habilidades para organizar y estructurar información, vocabulario adecuado y preciso para ser capaces de comunicar ideas sin ambigüedad, estrategias para seguir y entender una conversación, etc. Nuestro alumno no necesita, ni quiere un profesor de español para que le enseñe cómo hacer su trabajo; su deseo es ser capaz de hacerlo bien, en un contexto determinado, y practicar la lengua que está aprendiendo en el momento que lo necesita.

El contenido gramatical, por tanto, se ha diseñado en función de sus necesidades, por ejemplo, el uso de las condicionales para negociar con los clientes, la probabilidad para hacer hipótesis sobre un producto dentro del mercado, etc. ya que las personas que se dedican a los negocios no necesitan, no están interesados o no tienen tiempo para conocer la complejidad del idioma.

Las actividades o tareas que se proponen crearán un ambiente agradable para el alumno y harán que éste se relaje, se sienta cómodo y se integre totalmente en la marcha del curso. Por lo tanto, se aconseja, desde el primer día de clase, dividir ésta en grupos de trabajo y, que cada grupo, cree su propia empresa. De esta forma y al mismo tiempo que el alumno aprende, no se siente invadido por el temor a cometer errores individualmente (le protege el grupo) y, por supuesto, se crea un ambiente de competitividad muy estimulante propia del mundo de los negocios.

Muchos profesores se preguntarán qué hacer si no se trabaja con un grupo de estudiantes, es decir, si se trata, como en la mayoría de las ocasiones ocurre, de clases donde sólo hay un estudiante. Nuestra recomendación es que el profesor actúe de la misma manera que si se tratara de un grupo, reflexionando con él todos los contenidos que en el libro se desarrollan y hablando en español.

Aunque el libro presenta un ritmo de aprendizaje graduado y la temática de las unidades responde al proceso de creación de una empresa, se pueden trabajar las lecciones en otro orden y fuera del conjunto que el libro representa, en función de las necesidades del alumno y/o los intereses del profesor, ya que todas ellas son unidades independientes y coherentes en sí mismas.

# PRINCIPIOS GENERALES

1 ¿Qué es lo más importante para crear / iniciar una empresa? Antes de contestar rellena el siguiente cuestionario.

| | SÍ | NO | SIEMPRE | A VECES |
|---|---|---|---|---|
| 1. Cada empresario debe tener la cualidad de ser un hombre con capacidad de decisión. | ❑ | ❑ | ❑ | ❑ |
| 2. Lo importante para crear una empresa es la elección del socio. | ❑ | ❑ | ❑ | ❑ |
| 3. Hay que saber cómo alcanzar el objetivo. | ❑ | ❑ | ❑ | ❑ |
| 4. Hay que saber disponer de caminos alternativos para no quedarse atrapado en la idea. | ❑ | ❑ | ❑ | ❑ |
| 5. Hay que dar soluciones rápidas a los problemas, pero no impulsivas. | ❑ | ❑ | ❑ | ❑ |
| 6. Hay que pensar positivamente. | ❑ | ❑ | ❑ | ❑ |
| 7. Hay que saber coordinar todas las funciones y actividades de una empresa. | ❑ | ❑ | ❑ | ❑ |
| 8. El buen empresario debe anticiparse a los inconvenientes. | ❑ | ❑ | ❑ | ❑ |
| 9. Hay que desarrollar estrategias para obtener ventajas. | ❑ | ❑ | ❑ | ❑ |
| 10. Lo importante para crear una empresa es la promoción publicitaria. | ❑ | ❑ | ❑ | ❑ |
| 11. Hay que cuidar el plan de producción. | ❑ | ❑ | ❑ | ❑ |
| 12. Es tan importante vender como saber comprar. | ❑ | ❑ | ❑ | ❑ |
| 13. Es necesario elaborar un plan de puesta en funcionamiento. | ❑ | ❑ | ❑ | ❑ |
| 14. Es lo mismo lanzar un producto, que tener un negocio o crear un servicio a domicilio. | ❑ | ❑ | ❑ | ❑ |
| 15. Lo importante para crear una empresa es la financiación. | ❑ | ❑ | ❑ | ❑ |

2 Una vez contestado el cuestionario coméntalo en clase y justifícalo. Anota la respuesta definitiva a cada pregunta y su justificación.

**CUESTIONARIO. RESPUESTA - JUSTIFICACIÓN**

1. ______________________________

2. ______________________________

3. ______________________________

4. ______________________________

5. ______________________________

6. ______________________________

7. ______________________________

8. ______________________________

9. ______________________________

10. ______________________________

11. ______________________________

12. ______________________________

13. ______________________________

14. ______________________________

15. ______________________________

3 Ahora contesta a la pregunta que se te hacía al principio. ¿Qué es lo más importante para crear / iniciar una empresa?, ¿por qué? Coméntalo en clase y justifícalo.

¿QUÉ ES LO MÁS IMPORTANTE PARA CREAR / INICIAR UNA EMPRESA?

______________________________

4 Son muchas las cuestiones a tener en cuenta para poner en marcha un proyecto de creación de empresa, por ejemplo:

- ¿Cómo será la nueva empresa?
- ¿Se ofrecerá un servicio o un producto?
- ¿Qué previsiones se van a hacer para contratar personal?
- ¿Cuál será el organigrama de la empresa?, ¿qué jerarquía se establecerá?
- ¿Cuáles serán las prioridades para elegir a los empleados?
- ¿Qué formación tendrán los empleados?, ¿cuál será el criterio de elección?
- ¿Qué previsión financiera se hará?
- ¿Qué estatutos (legales) tendrá la empresa?
- ¿Qué ambiente tendrá la empresa?
- ¿Con qué equipo contará?
- ¿Cuál será la política de la empresa?
- ¿Qué tipo de anuncios y publicidad se utilizará?
- ¿Cuál será el logotipo o anagrama de la empresa?
- ¿Qué tipo de financiación se hará?
- ¿Cómo se llevarán a cabo las negociaciones?
- ¿Se hará algún tipo de inversión?

¿Estás de acuerdo con que hay que considerar todos estos aspectos?, ¿por qué?, ¿tendrías en cuenta alguna cosa más?, ¿cuál?, ¿por qué?

**Otras preguntas. Justificación**

# Unidad 1
# Empresa y empresarios

- **Objetivo: crear una sociedad empresarial**
- **Contenido temático**
  ¿Qué es una empresa?
  El fin social y económico de una empresa
  El empresario y el directivo
  Tipos de sociedades
- **Contenido comunicativo**
  Describir y definir una empresa, entidad
  Identificar
  Hablar de la organización de una empresa
  Hablar del pasado y del presente (de una empresa)
  Hacer comparaciones
  Expresar finalidad
  Hablar por teléfono: deletrear y pronunciar
- **Contenido Gramatical**
  Ser y estar: usos
  Imperfecto de indicativo
  Relativos
- **Contenido léxico**
  Léxico relacionado con el mundo empresarial
- **Correspondencia comercial**
  Estructura y características de la carta comercial

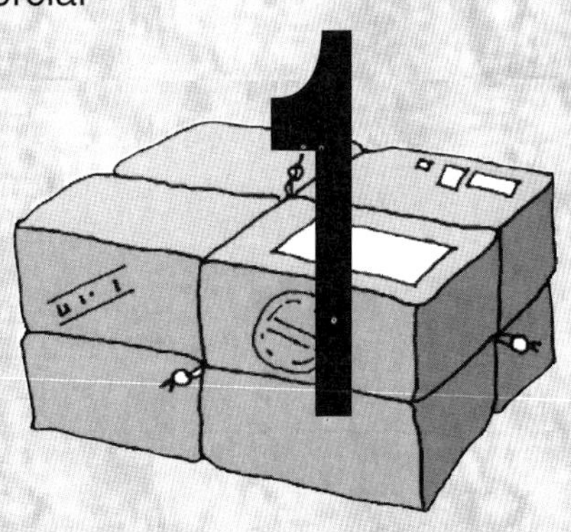

## ALGO DE VOCABULARIO SOBRE...

1 Escribe en el círculo todas las palabras que conozcas que puedan estar relacionadas con el tema empresa y empresarios, según el modelo:

**EMPRESA Y EMPRESARIOS**

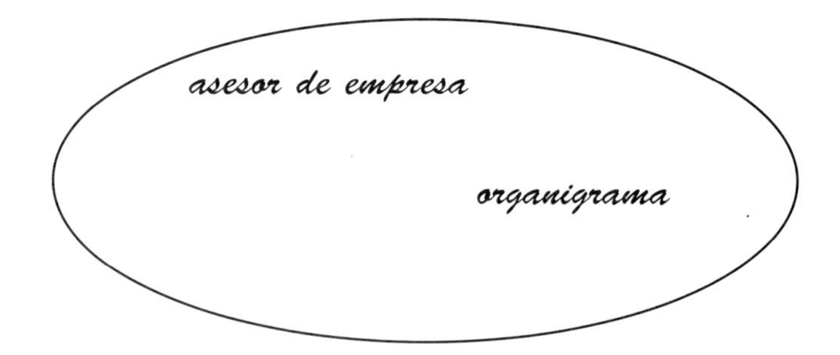


2 En grupo o en parejas comparad vuestros círculos e intentad definir cada una de las palabras, según el ejemplo:

*Asesor de empresa: persona que aconseja a otra emitiendo un dictamen o juicio.*
*Organigrama: presentación gráfica de la organización de un proyecto o empresa.*

3 A continuación te damos algunos términos relacionados con el tema **empresa y empresarios** ¿podrías relacionar la definición con la palabra?

a) forma que adopta la empresa para llevar a cabo sus fines
b) valor de las propiedades de una persona o empresa
c) acción de producir, fabricar; crear rendimiento
d) ganancia y provecho que se saca de una cosa
e) conjunto de operaciones comerciales que afectan a un sector de bienes
f) petición, solicitud
g) conjunto de bienes o mercancías que se presentan al mercado
h) cosa producida
i) todo aquello que satisface una necesidad o un deseo humano
j) provecho o ganancia que se obtiene de una cosa
k) crear ganancias
l) organización y personal destinados a cubrir las necesidades de una entidad
m) colectividad considerada como unidad
n) conjunto de bienes muebles e inmuebles adquiridos por herencia u otro origen

| entidad, producir beneficios, servicio, bien, beneficio, oferta, producto, mercado, demanda, producción, lucro, sociedad mercantil, capital, patrimonio |
|---|

4 ¿Cómo podemos definir el término **empresa**? Lee las siguientes palabras ordenadamente e intenta dar una definición aproximada de **empresa.**

*entidad*
*capital*
*trabajo*
*producción*
*beneficio*

5 Completa las siguientes definiciones de empresa con las palabras que aparecen en el ejercicio nº 3 y después, en parejas, elegid la que creáis que es la mejor y más apropiada.

a) **Empresa:** ____________________________ o industrial fundada para emprender o llevar a cabo construcciones, negocios o proyectos de importancia.

b) **Empresa:** ____________ integrada por el _____________ y el __________ como factores de _____________ y dedicada a actividades industriales, o de prestación de _______________ con fines _________________ y con la consiguiente responsabilidad.

c) **Empresa:** sujeto económico cuyas elecciones se manifiestan en el _____________ a través de la _______________ de factores productivos y la _____________ de productos.

d) **Empresa:** unidad económica en donde se combinan los factores básicos de la __________________ ( _____________ y _____________).

e) **Empresa:** es una organización de hombres y capitales que "trabaja" y "fabrica" con el objeto de vender _____________ y ______________.

f) **Empresa:** conjunto de actividades, de ______________ y de relaciones de diversa índole.

g) **Empresa:** unidad económica que combina los factores de _______________ o comercialización para la obtención de ______________ o ______________.

h) **Empresa:** es la organización de los factores de ________________ encaminada a la obtención de un _________________.

i) **Empresa:** unidad económica en donde se combinan el ___________ y el ____________ como factores básicos de la ________________ y en la que se distingue entre los que son propietarios del _________________ los que aportan __________ y los que contribuyen con su trabajo, y cuyo objeto es la venta en el _____________ de los _______________ obtenidos para conseguir el máximo _______________.

6 Teniendo en cuenta las definiciones dadas, define lo que es una empresa a partir del siguiente esquema.

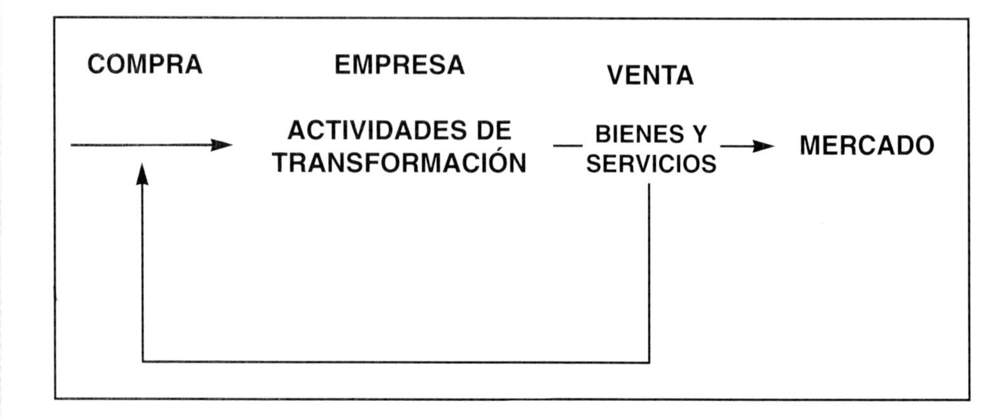


7 En parejas, intentad dar una definición de empresa y dibujad un esquema que se ajuste a dicha definición. Después comentadlo con el resto de la clase.

8 Así es como algunas personas ven la empresa. Lee los siguientes textos y haz comparaciones similares.

**LA EMPRESA ES COMO...**

***Un batallón***. *La empresa es un cuerpo de ejército donde la calidad del mando, comunicación, control e información sobre la competencia puede asegurar el éxito. Una variante de esta metáfora compara al presidente de la empresa con el capitán de un equipo de fútbol americano que guía a su equipo por todo el campo practicando jugadas ensayadas y papeles bien definidos.*

***Una orquesta***. *El gurú del management Peter Drucker compara la empresa a una orquesta cuyos miembros leen la misma partitura musical bajo la batuta del director. Apunta a una cultura de la información basada en el control y la necesidad de saber.*

***Un animal**. La empresa reacciona y se adapta a su medio ambiente. La perspectiva biológica explica el comportamiento de un equipo cuyos miembros buscan, comparten y se adaptan a la información externa e interna con la mira puesta en desarrollar respuestas al cambio.*

***Un cerebro**. Se ve la empresa como una red de neuronas capaces de usar de modo flexible, ágil e innovador la información y el conocimiento. La organización en red anticipa el futuro y abre nuevos caminos para el éxito.*

*Esta metáfora ha ganado partidarios entre directivos que consideran la empresa una organización que aprende, y entraña una cultura centrada en el desarrollo de productos o mercados nuevos o en el rediseño radical de las condiciones de la competencia.*

9 Ordena, alfabéticamente, todas las palabras aprendidas y escribe al lado su significado.

**PALABRAS APRENDIDAS**

## LO QUE HAY QUE SABER SOBRE...

1 Lee el siguiente texto y contesta. ¿Cuál es el fin social de una empresa?, ¿y el fin económico?

### *¿CUÁL ES EL FIN DE UNA EMPRESA?*

*Una empresa, para serlo, tiene que contener los cuatro factores de producción básicos, es decir, el capital, el trabajo, los recursos naturales y el espíritu empresarial. También debe organizarlos con el fin de producir e intercambiar bienes y servicios.*

*El empresario, por tanto, organiza hombres y "recursos" para alcanzar su objetivo. Un objetivo que, sin embargo, no se puede limitar a la producción: ha de respetar una utilidad social que quiere que los bienes producidos tengan un valor más alto que los componentes empleados. En otras palabras, una empresa se puede llamar así cuando produce un "valor añadido", es decir, cuando transforma unos bienes en otros bienes o servicios que tienen un valor más alto que los de partida. El fin social de la empresa es precisamente producir el máximo valor añadido, lo que equivale a producir puestos de trabajo, riqueza y utilidad para todos.*

*El valor añadido servirá a su vez para remunerar a los factores de producción, que son los destinatarios de este valor. Al mismo tiempo, la creación de riqueza es el lubricante que permite que toda la comunidad viva y se desarrolle. El fin social, la razón moral de la empresa radica precisamente en esta creación, que se produce según las reglas que la comunidad impone con sus leyes. Fuera de la ley no hay creación de riqueza. El robo no es creación de riqueza, es transferencia de riqueza. La creación de riqueza sólo es posible con el trabajo organizado en la empresa.*

*El trabajo se remunerará con el salario, el capital con los intereses, los bienes naturales con el rendimiento y el espíritu empresarial con los beneficios. Pero existe otro destinatario natural del valor añadido: el Estado. En lo referente a las empresas, el Estado aplica también unos impuestos que deben ser abonados para que éstas se beneficien de los servicios públicos al igual que los ciudadanos.*

a) FIN SOCIAL ______________________________

______________________________

______________________________

______________________________

b) FIN ECONÓMICO ______________________________

______________________________

______________________________

______________________________

2 Vuelve a leer el texto y, después, formad grupos. Cada grupo elaborará tres preguntas de comprensión sobre el texto. Gana el grupo que consiga contestar adecuadamente las preguntas de cada grupo o equipo.

3 Define, según el texto que has leído, los siguientes términos y después haz una frase con cada uno de ellos.

*capital*
*trabajo*
*servicio*
*empresario*
*valor añadido*
*lubricante*
*salario*
*impuesto*

4 Ordena el siguiente texto y después contesta con verdadero (V) o falso (F).

***EL EMPRESARIO Y EL DIRECTIVO***

*En el pasado la figura del empresario se identificaba con la del capitalista (es decir, quien aporta el capital) porque quien arriesgaba su capital se ocupaba también de forma directa de la gestión de la empresa.*

*Consideraremos ahora la división fundamental que existe en el ámbito de las empresas. La empresa puede estar gestionada de forma individual o colectiva.*

*El empresario es quien organiza los factores de producción (el capital, el trabajo y los recursos naturales), obteniendo un beneficio de esta actividad.*

*Actualmente sigue existiendo la figura del empresario-capitalista, aunque estos dos personajes se distancian cada vez con más frecuencia.*

*El directivo indica el conjunto de personas que tienen la responsabilidad de coordinar y dirigir a otros individuos relacionados con la gestión de la empresa.*

*Cuando está gestionada de forma individual, la persona se atribuye todo el riesgo de la empresa y se convierte en "dueño, directivo y botones", reúne los factores productivos (espíritu empresarial, capital y trabajo) en una sola persona y emprende su aventura. En el segundo caso, el riesgo de la empresa se comparte con otras personas, dando lugar a una sociedad que puede ser, a su vez, sociedad de personas o sociedad de capitales.*

*Confiando en su capacidad organizadora, el empresario-capitalista empleaba su propio capital, creando una empresa con la convicción de que la renta producida sería superior a la producida por el mismo capital invertido en otras actividades. La esperanza que le movía era la misma en que se basa toda actividad económica: obtener un beneficio.*

*La persona que invierte su capital, delega la función de organización en profesionales de la gestión, los "directivos", que reciben una compensación por su trabajo que se refleja en un contrato. Sin embargo los contratos que fijan la compensación del directivo establecen a menudo que éste reciba una parte de los beneficios (se llama "participación de beneficios" y se puede establecer también a favor de los trabajadores dependientes de la empresa).*

a) El empresario nunca organiza los factores de producción (el capital, el trabajo y los recursos naturales).

V ❑ F ❑

b) El empresario-capitalista emplea su propio capital con la esperanza de obtener un beneficio.

V ❑ F ❑

c) Los directivos reciben una compensación por su trabajo y esto se refleja en un contrato.

V ❑ F ❑

d) El directivo no recibe participación alguna de beneficios.

V ❑ F ❑

e) La empresa puede estar gestionada de forma individual o colectiva.

V ❑ F ❑

## LO QUE SE DICE SOBRE...

1 Antes de crear una empresa hay que tener muy claro el cómo. Escucha el siguiente texto "Ir por libre o montar una sociedad" y contesta.

a) ¿En qué dos grandes grupos se pueden organizar las empresas? ____________
______________________________________________
______________________________________________

b) ¿Qué requisitos se deben tener en cuenta para ser empresario individual? _____
______________________________________________
______________________________________________

c) ¿Cómo están compuestas las sociedades mercantiles? ________________
______________________________________________
______________________________________________

d) Los beneficios de las sociedades mercantiles ¿entre quiénes se reparten?______
______________________________________________

2 Hablar por teléfono supone dar información muy concreta, por ejemplo, la dirección de la empresa, el nombre de ésta, el nombre de la persona que llama, etc. y, por lo tanto, es necesario deletrear y pronunciar claramente para ser entendido por el interlocutor.
Pronuncia cada una de las letras del alfabeto que a continuación se presentan y después completa por orden alfabético la tabla siguiente.

| ALFABETO | OBJETOS DE OFICINA | ALFABETO | OBJETOS DE OFICINA |
|---|---|---|---|
| A | ______ | N | ______ |
| B | ______ | Ñ | ______ |
| C | ______ | O | ______ |
| D | ______ | P | ______ |
| E | ______ | Q | ______ |
| F | ______ | R | ______ |
| G | ______ | S | ______ |
| H | ______ | T | ______ |
| I | ______ | U | ______ |
| J | ______ | V | ______ |
| K | ______ | W | ______ |
| L | ______ | X | ______ |
| LL | ______ | Y | ______ |
| M | ______ | Z | ______ |

3 En parejas, comparad vuestras tablas. Finalmente, intercambiad las tablas y haced frases con cada ellas.

## LO QUE SE ESCRIBE SOBRE...

1 Completa la estructura de una carta comercial con los términos que se dan a continuación.

| saludo, introducción, destinatario, nombre, asuntos secundarios, membrete, antefirma, firma, referencia y asunto, anexos, dirección, despedida, encabezamiento, población, asunto principal, fecha, posdata. |
|---|

**INICIO**

_______________

_______________ : _______________

_______________

_______________

_______________

**CUERPO** _______________

_______________

_______________

**FINAL** _______________

_______________

_______________

2 Con la ayuda de tus compañeros(as), intenta definir las distintas partes de las que consta la carta comercial. Después comentad cómo son en vuestro país.

3 Ahora, y siguiendo la estructura vista en el ejercicio 1, ordena la siguiente carta comercial.

a) Barcelona, 27 de septiembre de 1996

b) Artículos de regalo
s/ref. Pedido nº. 453

c) Muy señor nuestro:

d) Pedro García & Cía.
Artículos de regalo
C/ Conde de Lema, 17
46005 Valencia

e) En contestación a su atta. del 22 del cte. por la cual le damos las gracias, le mandamos nuestro catálogo ilustrado y la lista de precios.

f) 1 catálogo ilustrado
1 lista de precios

g) Pedro García & Cía.
Gerente

h) En cuanto a la entrega le comunicamos que ejecutaremos sus órdenes con puntualidad y a su entera satisfacción. Esperamos que nuestra oferta le satisfaga.

i) Luis Vallego
Avda. de la Constitución, 8
08019 Barcelona

j) P.D. No olvide mandarnos sus datos antes del día 7 de octubre.
P.S. Le tendremos al corriente de nuestras próximas novedades.

k) Le saludamos muy atentamente,

4 Las siguientes expresiones y abreviaturas pueden ser muy útiles para elaborar tu correspondencia comercial.

## EXPRESIONES

### SALUDO

Muy señor(es) mío(s):
Muy señor(es) nuestro(s):
Señoras y señores:
Estimado(s) señor(es):
Apreciado(s) señor(es):
Muy apreciado(s) señor(es):

### DESPEDIDA

Le(s) saludo (saludamos) muy atentamente,
Quedo (Quedamos) de usted(es) atentamente,
Suyo affmo.,
Con nuestros atentos saludos,
Aprovecho esta ocasión para ofrecerle mis respetos,
Con nuestra consideración,
Esperando su pronta respuesta, le(s) saluda,
A la espera de sus noticias, queda suyo affmo.,
Rogando disculpen las molestias ocasionadas, le(s) saluda atentamente,

## ABREVIATURAS

| | |
|---|---|
| Sr(es). | señor(es) |
| Sra(s). | señora(s) |
| Srta(s). | señorita(s) |
| Vd(s)./Ud(s). | usted(es) |
| Cía. | compañía |
| Hnos. | hermanos |
| S.A. | sociedad anónima |
| S.L. | sociedad limitada |
| C/ | calle |
| Avda. | avenida |
| Pl. | plaza |
| Pº. | paseo |
| Ref., ref. | referencia |
| cte. | corriente |
| c/c. | cuenta corriente |
| ppdo. | próximo pasado |
| atta. | atenta |
| B., Bco. | banco |
| m/l. | mi letra |
| d/v. | días vista |
| n/o. | nuestra orden |
| n/ref. | nuestra referencia |
| s/ref. | su referencia |
| s/fra. | su factura |
| s/n. | sin número |
| affmo. | afectísimo |
| P.D. | post data (después de la fecha) |
| P.S. | post scriptum (después de lo escrito) |
| P.O. | por orden |
| P.P. | por poder |
| N.B. | nota breve |

# TAREA FINAL

**1** Lee el siguiente texto y, después, contesta.

***LA PESADILLA DE LA BUROCRACIA***

*Trabajar sin horario, no depender de un jefe... puede parecer idílico, pero tampoco es tan bonito como algunos empresarios lo quieren vender. Montar una empresa requiere paciencia de santo para enfrentarse a todo el papeleo.*

*Y es que hay que empezar por redactar las escrituras, registrar un nombre, acudir al notario, pagar a Hacienda el Impuesto de Transmisiones Patrimoniales y Actos Jurídicos Documentados, solicitar el Código de Identificación Fiscal, realizar la declaración censal, comprar o alquilar un local, pedir al ayuntamiento la Licencia de Actividades e Instalaciones y la que autoriza el funcionamiento del negocio, darse de alta en el Impuesto de Actividades Económicas y en la Seguridad Social, abrir cuentas bancarias para el teléfono, agua o luz, proceder a la apertura del centro de trabajo y, ¡por fin! comunicar antes de 30 días a la autoridad laboral que ya se ha empezado a trabajar.*

- ¿Qué trámites burocráticos se siguen en tu país?

______________________________________________
______________________________________________
______________________________________________
______________________________________________
______________________________________________
______________________________________________
______________________________________________

- Compara los trámites que se hacen en tu país con los que se siguen en España y debatid si son todos necesarios o no. Justifica tu respuesta.

______________________________________________
______________________________________________
______________________________________________
______________________________________________
______________________________________________
______________________________________________
______________________________________________

2 Ha llegado el momento de montar nuestra propia empresa, pero hay que definir su forma jurídica. A continuación te presentamos los tipos de sociedad más frecuentes en España. Formad grupos y decidid el tipo de sociedad que se ajuste más a vuestras características (nº de socios, capital...). No olvidéis justificarlo.

## FORMAS SOCIETARIAS MAS FRECUENTES

| | SOCIEDAD COLECTIVA | SOCIEDAD CIVIL | SOCIEDAD LIMITADA | SOCIEDAD COOPERATIVA | SOCIEDAD ANONIMA |
|---|---|---|---|---|---|
| FORMA | Capital compuesto por las aportaciones de los socios (dinero, bienes y derechos) | Contrato por el que dos o más personas se agrupan obligándose a aportar bienes, dinero o trabajo en una actividad económica para repartir entre sí las ganancias | El capital se divide en participaciones y está integrado por las aportaciones de los socios | Asociación de personas para proporcionar puestos de trabajo a los socios y producir en común bienes o servicios | El capital está dividido en acciones y los socios no responden personalmente de las deudas |
| SOCIOS | Mínimo dos | Dos o más | Mínimo uno | Mínimo cinco | Mínimo cuatro |
| CONSTITUCIÓN | • Escritura Pública<br>• Inscripción en el Registro Mercantil<br>• Impuesto de operaciones societarias (1%) | Libre. No hace falta escritura pública, excepto cuando se aportan bienes inmuebles o derechos reales | • Escritura pública fundacional<br>• Inscripción en el Registro Mercantil<br>• Capital totalmente desembolsado<br>• Impuesto de operaciones societarias (1%) | • Aprobación de los estatutos en asamblea<br>• Escritura pública<br>• Inscripción en el Registro General de Cooperativas<br>• Impuesto de operaciones societarias (1%) | • Aprobación de los estatutos<br>• Escritura pública<br>• Solicitud de calificación<br>• Registro<br>• Desembolso de un 25% del capital<br>• Impuesto de operaciones societarias (1%) |
| ORGANIZACIÓN | Según los pactos de los socios | Todos los socios pueden ejercer la administración | • La Junta General manifiesta la voluntad social<br>• Consejo de Administración | • La Asamblea General manifiesta la voluntad de los socios<br>• Organización y control de gestión democráticos | • Junta General de Accionistas manifiesta la voluntad de los socios<br>• Consejo de Administración |
| RESPONSABILIDAD | Ilimitada (personal, solidaria y subsidiaria) para los socios, que responden también con sus bienes | Ilimitada (personal) | Limitada (responderán por actuar contra la ley, los estatutos o sin diligencia. Responden solidariamente a no ser que se opusieran) | Limitada (salvo disposición contraria de los estatutos) | Limitada (responderán por actuar contra la ley, los estatutos o sin diligencia. Responden solidariamente a no ser que se opusieran) |
| NORMATIVA | • Código de Comercio<br>• Reglamento del Registro Mercantil | Código Civil, autos 1765 a 1708 | Ley de Sociedades de Responsabilidad Limitada de 1995 | Ley General de Cooperativas 3/1987 | • Régimen jurídico de Sociedades Anónimas de 22/12/89<br>• Ley de Sociedades Limitadas de 1995 |
| CAPITAL | Aportaciones de los socios | — | Mínimo 500.000 ptas. | Según estatutos | 10 millones de pesetas |

## APUNTE. PROYECTO EN... ESPAÑOL COMERCIAL

Definición de empresa y esquema:

Una empresa es como...

Tipo de sociedad mercantil: justificación.

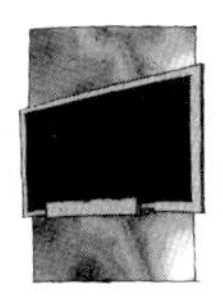

## FUNCIONES

✔ Describir y definir una empresa/entidad.

*La empresa* ***es*** *una organización que aprende*
*La empresa* ***es*** *una unidad económica*

✔ Identificar.

*El empresario es* ***la persona que*** *invierte su capital*
*El empresario es* ***quien*** *organiza los factores de producción*
*La empresa es* ***el lugar donde*** *se desarrollan un conjunto de actividades*

✔ Hablar de la organización de una empresa.

*La empresa* ***puede estar gestionada*** *de forma individual o colectiva*
*Una empresa* ***está gestionada*** *de forma colectiva cuando...*
*Una empresa* ***es gestionada por*** *un individuo cuando...*

✔ Hablar del pasado y del presente.

***Antes*** *la figura del empresario* ***se identificaba*** *con la del capitalista.* ***Actualmente*** *existe la figura del capitalista pero...*

✔ Hacer comparaciones.

*La empresa **es como** un batallón*
*La empresa **es como** una red de neuronas*
*La empresa es **tan** grande **como** una orquesta*

✔ Expresar finalidad.

*El valor añadido servirá **para remunerar** a los factores de producción*
*El empresario organiza hombres y recursos **para alcanzar** el objetivo*

**TAREA:** Piensa en la empresa que quieres montar y, en parejas, cuenta a tu compañero(a) cómo está organizada dicha empresa, cuál es su objetivo final, con qué otras empresas se la puede comparar, etc.

## CONTENIDOS GRAMATICALES

### ➡ SER

✎ Ante sustantivo, infinitivo y pronombre.

*La empresa **es una organización** que aprende*
*Eso **es ser** un gran empresario*
*¿Ésa **es vuestra** empresa?*

✎ Profesión.

*Ellos **son empresarios***

✎ Finalidad, destinatario.

*La carta **es para** informar a los empleados*
*Ese despacho **es para** él*

✎ Pertenencia, origen y materia.

*Este ordenador **es del** director*
*El presidente de la empresa **es de** España*
*El bolígrafo **es de plàstico***

✎ Equivale a: “suceder, ocurrir, tener lugar”.

*La reunión **será** en el departamento de ventas*

✎ Ser + adjetivos que indican carácter, cualidades.

*Los empleados **son agresivos***
*Vuestro jefe **es honesto***
*La empresa **es grande***

✎ Ser + participio: pasiva de acción.
*La empresa **es gestionada por** un individuo*

## ➡ ESTAR

✎ Localización.
*La empresa **está en** el centro de la ciudad*

✎ Estar + gerundio: acción en proceso.
*Los directivos **están pensando** en cambiar la organización de la empresa*

✎ Estar + adjetivos que indican conducta, estados anímicos.
*El director **está** furioso*
*El secretario **está** despistado*

✎ Estar + participio: pasiva de estado.
*La empresa **está gestionada** de forma colectiva*

✎ Estar con: expresa compañía, apoyo moral.
*Las secretarias **están con** el director*
*Todos **estarán contigo***

✎ Estar por + infinitivo con sujeto no personal: "estar sin".
*La empresa **está por ampliar***

✎ Estar por + infinitivo con sujeto personal expresa deseo o intención: "tener ganas de".
*Los directivos **están por asistir** a la feria internacional del sector*

✎ Estar para + infinitivo indica "estar a punto de".
*Ellos **están para** salir de viaje*

## ➡ IMPERFECTO DE INDICATIVO

✎ Acciones repetidas o habituales en el pasado.
***Antes** la figura del empresario **se identificaba** con la del capitalista*

✎ Describir situaciones en el pasado.
*La empresa **estaba** vacía, no **había** nadie para solucionar el problema*

✎ Para describir estados emocionales en pasado.
*Los directivos **estaban orgullosos** de su éxito empresarial*

# RELATIVOS

## ➡ QUE

✎ Su antecedente, aquello a lo que se refiere, puede ser persona, animal, o cosa. Es el más usual de los relativos. Si lleva preposición, suele llevar artículo.
*El empresario es **la persona que** invierte su capital*
*Ése es **el empresario con el que** tienen que hablar*

### ➡ EL/LA/LO CUAL, LOS/LAS CUALES

✎ Siempre lleva artículo y suele usarse con preposición. Puede referirse también a persona, animal o cosa. No conviene abusar de su uso; se prefiere **que**.

*La empresa quebró, **por lo cual** muchos trabajadores se quedaron en paro*

### ➡ QUIEN, QUIENES

✎ Se refiere a persona únicamente y nunca lleva artículo. Su uso es menos frecuente que el de **que.**

*El empresario es **quien** organiza los factores de producción*

### ➡ CUYO, CUYA, CUYOS, CUYAS

✎ Presenta variaciones de género y número. Tiene valor posesivo y va entre dos sustantivos, concordando con el segundo. Se usa, generalmente, en la lengua escrita o formal.

*Esa empresa, **de cuyos** empresarios te hablé ayer, está en la ruina*

### ➡ CUANTO, CUANTA, CUANTOS, CUANTAS

✎ Equivale a "todo lo que", aunque es más culto o formal, y puede ir solo o ante un sustantivo.

*Los directivos se lo comunicaron a **cuantos** empleados estaban allí*

### ➡ COMO

✎ Equivale a "de la manera que".

*Habla a los empleados **como** quieras*

### ➡ CUANDO

✎ Equivale a "en el momento que".

*Pueden venir a visitarme **cuando** quieran*

### ➡ DONDE

✎ Equivale a "en el lugar que".

*La empresa es **donde** se desarrollan un conjunto de actividades*

# Unidad 2
# Productos y mercado

- **Objetivo: elegir un producto o servicio**
- **Contenido temático**

  Factores de producción
  El juego de la oferta y la demanda
  La regla de oro de la productividad
  Competencia perfecta y competencia imperfecta

- **Contenido comunicativo**

  Hablar de las características de un producto o mercado
  Hablar de las ventajas y desventajas de un producto o mercado y valorar.
  Expresar causa
  Hablar del futuro de un producto o mercado
  Expresar hipótesis, probabilidad y posibilidad
  Fases de una conversación telefónica: Identificarse, intercambiar información y despedirse

- **Contenido gramatical**

  Futuro y futuro perfecto
  Condicional y condicional perfecto
  Futuro y condicional de probabilidad
  Quizá, tal vez, probablemente, posiblemente
  Uso del subjuntivo: frases casuales

- **Contenido léxico**

  Léxico relacionado con el mundo del producto y del mercado

- **Correspondencia comercial**

  La circular: características

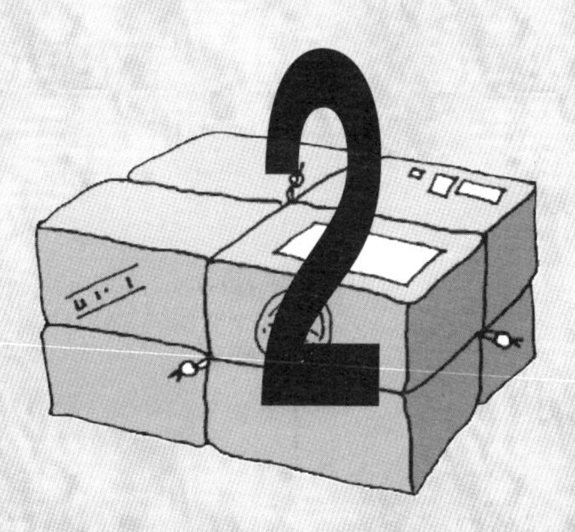

## ALGO DE VOCABULARIO SOBRE...

1 Al hablar de economía hay que tener en cuenta los siguientes términos:

| *valor* | *precio* | *oferta* | *demanda* |
|---|---|---|---|
| *producción* | *distribución* | *consumo* | *rendimiento* |

Busca en el diccionario el significado de dichos términos y haz una frase con cada uno de ellos.

2 Ahora, en grupos o parejas, organizad las palabras de la actividad nº 1 en forma de diagrama, árbol, etc. y comentadlo con el resto de la clase.

3 A partir del verbo *"producir"* construye frases hasta crear un pequeño texto relacionado con dicho verbo.

4 Ordena los siguientes textos y luego coméntalos con tus compañeros(as).

***CONOCER LAS EMPRESAS***

*En otras palabras, todos los sujetos que han participado en la producción de un bien tienen derecho a disponer de una renta. Esta renta les permitirá vivir y, en consecuencia, consumir, es decir, comprar productos.*

*Todas estas operaciones van añadiendo valor al bien producido (el "valor añadido").*

*La empresa ha de producir de manera "provechosa", lo que significa que debe producir para dar un beneficio a quien la dirige y una ganancia a quien trabaja en ella.*

*Además de producir, las empresas deciden qué estrategias comerciales adoptar en el mercado, anunciándose en prensa, radio y televisión o mediante carteles publicitarios y organizando los envíos y la distribución. En fin, desarrollan una serie de actividades auxiliares para poder vender el producto determinado. De hecho, la manera de vender es tan importante como la forma de producir.*

*Así pues, es de interés general que se reparta riqueza entre quienes trabajan, porque de esa manera tienen la posibilidad de gastarla, alimentando la demanda, el intercambio y, con ello, la producción.*

*Producir significa exactamente "añadir valor" a un bien que está destinado a ser vendido en el marcado a un determinado precio; un precio que refleje el "valor añadido" y que sea capaz de compensar todos los factores empleados en la producción.*

*Las empresas combinan los distintos factores de producción (recursos naturales, capital, trabajo y acción empresarial) para transformarlos en un "resultado productivo", es decir, un producto terminado: un coche, una caja de bombones, un mueble o un vestido. Y, por qué no, un servicio: el proyecto de un arquitecto, un viaje turístico, de negocios o una retransmisión televisiva.*

**CONOCER LAS EMPRESAS. COMENTARIO**

5 Clasifica las siguientes palabras según corresponda y explica tu criterio de clasificación.

| **PRODUCTO** | **MERCADO** |
| --- | --- |
| ... | ... |

productividad, mayorista, monopolio, mercancía, coste, renta, consumo, estrategia, oferta, precio, rendimiento, al por menor, proveedor, valor añadido, demanda, competencia, consumidor, minorista, beneficio, rentabilidad, al por mayor, productor, mayorista, distribución.

6 Elige una de las palabras que antes has clasificado y elabora un pequeño texto partiendo de la siguiente frase:

*El proceso de concentración del comercio minorista ha dado lugar a la aparición de hipermercados y cadenas que dominan la distribución en algunos países...*

7 Escucha el siguiente texto y contesta: ¿cuál es la regla de oro de la productividad?

**REGLA DE ORO DE LA PRODUCTIVIDAD**

8 Según el texto que has escuchado *"será más competitivo un país en el que el trabajo es más productivo y cuesta menos dinero"*. Piensa en algún país y justifícalo.

9 Ordena, alfabéticamente, todas las palabras aprendidas y escribe al lado su significado.

**PALABRAS APRENDIDAS**

_______________________________________________

_______________________________________________

_______________________________________________

_______________________________________________

_______________________________________________

_______________________________________________

_______________________________________________

_______________________________________________

_______________________________________________

_______________________________________________

_______________________________________________

_______________________________________________

_______________________________________________

_______________________________________________

_______________________________________________

## LO QUE HAY QUE SABER SOBRE...

1 Lee y completa el siguiente texto con las palabras que aparecen a continuación.

***LA OFERTA Y LA DEMANDA***

*La libertad de intercambio debería asegurar, con la ____________, productos buenos con precios viejos. En realidad, las cosas no son tan simples porque la libertad de intercambio no es casi nunca completa del todo.*

*El "juego" que tiene lugar en los mercados es el de la ________ y la ________. Y el resultado al que conduce el juego de la __________ y la _________ está determinado por dos números: el que indica la cantidad de _________ intercambiada y el que señala el _________ con el cual dicha mercancía cambia de dueño.*

*Cuando hablamos de __________ nos referimos a la cantidad de un bien que cada uno está dispuesto a comprar a un determinado __________ en un determinado periodo. Un elemento decisivo para la cantidad de __________ demandada es el __________ de dicha mercancía: si el precio del _________ aumenta, la cantidad demandada disminuye, y viceversa. Así pues, podemos afirmar que la __________ es inversamente proporcional al _________ del _________: al aumento del precio corresponde una reducción de la cantidad demandada, y viceversa.*

*Cuando hablamos de ____________, en cambio, tenemos que considerar la cantidad de una determinada mercancía que los __________ están dispuestos a _________ a un precio determinado. Al contrario que la ley de la _________, la de la __________ contempla el crecimiento de la oferta con el aumento del __________ de __________, y viceversa: es decir, la oferta es directamente proporcional al precio.*

*Dicho esto, la realidad del __________ presenta diferentes formas. Una determinada ____________ puede ser vendida por un número relevante de empresas que trabajan en un plano de paridad sustancial o por una sola empresa que controla su oferta.*

*Las consecuencias sobre la fijación de los __________ se pueden intuir ya que, en el primer caso, las empresas que compiten entre ellas tendrán, cada una en particular, un poder limitado sobre el precio. De hecho, desde el momento que la _________ vendida es la misma, el ___________, ante la subida de precio de una empresa, irá a buscarla a otro lugar para ver si puede comprarla a mejor precio.*

*En el caso de una sola empresa, ésta tendrá un poder mayor, pero no absoluto. De hecho, no podrá fijar al mismo tiempo la _________ y el _________. Si fija el ________ de venta, serán los ____________ quienes decidan cuánto __________ están dispuestos a comprar a ese __________. Si por el contrario fija la cantidad de producto que va a sacar al __________, los __________ serán quienes decidan a qué precio están dispuestos a comprar dicha cantidad.*

| mercancía, competencia, demanda, productor, mercado, oferta, precio, vender, bien, consumidor, cantidad. |
|---|

## 2 Vuelve a leer el texto y resúmelo.

**RESUMEN DEL TEXTO**

______________________________________________

______________________________________________

______________________________________________

3 Explica en qué consiste la ley de la oferta y la demanda y da un ejemplo que lo justifique.

**LA LEY DE LA OFERTA Y LA DEMANDA**

4 Comenta con tus compañeros(as) las siguientes preguntas y contestadlas.

- ¿Cómo reducir costes, realizar entregas rápidas y frecuentes y ofrecer una gama de productos flexibles todos a la vez?
- ¿Puede la producción serlo todo para todos?

5 Una respuesta a las preguntas anteriores puede ser: "(...) Si, pero para ello las fábricas tienen que aplicar el principio de **rigidez flexible**". Comenta con tus compañeros(as) en qué consiste el principio de rigidez flexible.

6 A continuación presentamos el texto en su totalidad. Compáralo con las respuestas que has dado (actividades 4-5) y después comenta si estás o no de acuerdo con lo que se dice en él.

***LA RIGIDEZ FLEXIBLE***

*¿Cómo reducir costes, realizar entregas rápidas y frecuentes y ofrecer una gama de productos flexible, todo a la vez? ¿Puede la producción serlo todo para todos? Sí, pero para ellos las fábricas tienen que aplicar el principio de rigidez flexible.*

*La flexibilidad se basa en la simplicidad y la disciplina: simplicidad en el diseño del producto y los flujos de materiales y de información; y disciplina en la mejora de la calidad, la implantación de procedimientos normalizados, la formación, etc. La disciplina y la simplicidad fomentan la flexibilidad, la adaptación permanente y el aprendizaje en una fábrica capaz de competir a escala mundial.*

*Desde los años setenta, los directores de producción han reorganizado sus fábricas con la mira puesta en la concentración de la producción. Ésta supone la separación de las líneas de productos en distintas fábricas o plantas dentro de la fábrica.*

*La concentración de la producción funciona. Pero en los años noventa funciona por razones muy distintas de las que motivaron su aparición. Ahora funciona porque promueve la simplicidad y la disciplina, los pilares de la rigidez flexible.*

*El concepto original se basaba en la observación de que las fábricas se resistían cuando sus líneas de productos o los procesos eran tan diversos que obligaban a atender objetivos o tareas de producción totalmente diferentes. Con el tiempo, la articulación de la tarea de producción se ha plasmado en una jerarquía de prioridades competitivas.*

*Se suelen señalar cuatro prioridades: calidad del producto, su coste, su seguridad de entrega y flexibilidad, en términos de combinación de productos y volumen.*

*Este sistema subraya la importancia de la consistencia; de la tarea de producción con la estrategia; de la definición de la tecnología de proceso, la política de personal, sistemas de fabricación, etc., con la tarea de producción en cada caso. El mensaje es que no queda más remedio que alcanzar un compromiso entre los objetivos, y que la producción no puede serlo todo para todos.*

7 ¿Cómo lograr la rigidez flexible concentrando la producción? Contesta a la pregunta teniendo en cuenta las siguientes anotaciones.

- Flujo de productos rápido y sencillo.
  En fábricas de producción concentrada, el flujo de productos es fácil de analizar y mejorar. Los beneficios están perfectamente claros para todos, y los circuitos de retroalimentación del control de calidad son cortos.

- Organización simplificada.
  Con esta simplicidad, la fábrica no necesita personal superior. Los directivos de línea y los trabajadores se autocontrolan. Además, la disciplina es más fácil de conseguir, ya que cada empleado se identifica con el producto y su elaboración.

- Mejor contabilidad de costes y medición del rendimiento.
  El beneficio no esperado más habitual es un mejor conocimiento del modo exacto en que los costes se incorporan al producto y, asimismo, de cómo sería posible reducirlos.

## LO QUE SE DICE SOBRE...

**1** Escucha y contesta a las siguientes preguntas:

**COMPETENCIA PERFECTA**

a) ¿Cuándo se da la competencia perfecta? ____________________

____________________

b) ¿Cuáles son los supuestos que requiere un mercado de competencia perfecta?

____________________

____________________

**2** Escucha de nuevo el texto y reflexiona.

a) ¿Se puede dar una competencia perfecta en la realidad económica? ¿Por qué?

____________________

____________________

b) ¿En qué mercado se puede dar una competencia realmente perfecta?

____________________

____________________

**3** Lee el siguiente texto sobre competencia imperfecta y después contesta.

***COMPETENCIA IMPERFECTA***

*Se puede decir que nos encontramos ante un mercado de competencia imperfecta cuando existen todos los caracteres de competencia perfecta (abundancia de competidores, transparencia de mercado, libertad de entrada) menos uno: la homogeneidad del producto.*

*Las empresas presentes en el mercado que venden productos similares, pero distintos en cuanto a calidad, tienden a conservar y potenciar su esfera de influencia particular en la que ejercer su poder de mercado.*

*La diferencia existente entre los productos puede ser natural o artificial, es decir introducida por el fabricante. La diferencia, sea cual sea su naturaleza, de confección exterior o de ubicación de la empresa reúne en torno a cada producto una clientela particular que no sólo mira el precio, sino los aspectos cualitativos relacionados con los productos.*

*Como consecuencia, cada empresa en particular tiene la posibilidad de variar el precio al ser "monopolista" de determinados requisitos. Este poder sobre el precio se ejercerá dentro de unos límites para evitar que el consumidor traslade su demanda a otros productos, o que las empresas de la competencia varíen también el precio.*

*En un régimen de competencia monopolística, al no ser el producto homogéneo, el empresario sabe que el consumidor no elige sólo en base al precio, sino también a las características del producto. Así pues, nunca bajará el precio hasta igualarlo al coste mínimo y no realizará la producción con plena eficacia.*

*En conclusión, es posible encontrar mercados de competencia imperfecta o monopolística en todos los sectores. En ellos las empresas son todavía numerosas y no demasiado grandes. Si por el contrario hubiera en el mercado una empresa de dimensiones tales como para dominar a las otras, se debería hablar de casi-monopolio. Y si las empresas fueran pocas y grandes, se daría un régimen de mercado distinto, el oligopolio.*

a) ¿Qué otro nombre recibe la competencia imperfecta? ______________________

______________________________________________________________________

______________________________________________________________________

______________________________________________________________________

b) ¿Qué característica de la competencia perfecta no posee la competencia imperfecta? ______________________________________________________________

______________________________________________________________________

______________________________________________________________________

______________________________________________________________________

c) ¿Se puede dar una competencia imperfecta en la realidad económica? ¿Por qué?

______________________________________________________________________

______________________________________________________________________

______________________________________________________________________

______________________________________________________________________

**4** Teniendo en cuenta lo que has escuchado sobre competencia perfecta y lo que has leído sobre competencia imperfecta explica dichos términos y pon un ejemplo.

| COMPETENCIA PERFECTA | COMPETENCIA IMPERFECTA |
| --- | --- |
| ______________________ | ______________________ |
| ______________________ | ______________________ |
| ______________________ | ______________________ |
| ______________________ | ______________________ |
| ______________________ | ______________________ |

5 Lee la siguiente frase y di si estás o no de acuerdo con ella y porqué.

*"En una situación de monopolio la fijación de los precios no depende sólo del productor. De hecho, el productor, aunque no tiene competencia, debe hacer cuentas con el consumidor, que puede reducir la demanda ante unos precios demasiado altos".*

6 Una conversación telefónica consta de las siguientes fases: presentación e identificación, intercambio de información y despedida. Relaciona las siguientes expresiones con las distintas fases.

gracias por la información, dígame, muchas gracias y buenos días, ¿de parte de quién?, ya le volveré a llamar, no se encuentra aquí en estos momentos, está comunicando, con... por favor, de parte de..., podría hablar con... ¿le puede dar usted un recado a...?, quisiera hablar con el... de...., póngame con..., un momento por favor, enseguida se pone, llamaré en otro momento, agradezco el interés que se ha tomado, ¿puedo hablar con...?, ¿qué número tengo que marcar para...?, ahora le pongo, querría hacer una llamada a cobro revertido, ¿podría ponerme con la extensión...?

- **presentación e identificación**
- **intercambio de información**
- **despedida**

¿Conoces otras expresiones? Añádelas a las anteriores.

7 Finalmente, pon en práctica dichas expresiones inventando pequeños diálogos.

# LO QUE SE ESCRIBE SOBRE...

**1** Lee las siguientes cartas y coméntalas con tus compañeros(as).

a) ¿A quiénes van dirigidas? ________________________________

b) ¿De qué tipo de carta se trata? ________________________________

c) ¿Qué nombre crees que reciben? ________________________________

JAVIER URIARTE MONEREO
Director General Adjunto

Madrid, Diciembre 1996

Estimada cliente:

Como seguramente usted ya conocerá, por los medios de comunicación, se ha puesto en marcha una Emisión de Obligaciones del Instituto de Crédito Oficial (I.C.O.).

El periodo de suscripción es del 9 al 27 de Diciembre, ambos inclusive.

Hemos considerado que esta operación puede ser de su interés, por lo que le acompañamos folleto con todos los detalles de la misma.

Además, para facilitar la tramitación de las órdenes de suscripción a los mejores clientes de nuestro Banco, hemos reforzado nuestro **Servicio Telefónico Financiero -BanestoAcción- (91) 338 18 18,** donde nuestros especialistas están a su disposición.

O, si lo prefiere, puede acudir a su Sucursal Banesto, donde estaremos encantados de atenderle.

En cualquier caso, su operación estará libre de **gastos** y **comisiones.** Una razón más para formalizar su suscripción a través de Banesto.

Atentamente,

*Palabras*
*Gabinete Pedagogía-Logopedia*

Mª Luisa Massa Gutiérrez del Alamo
DIRECTORA

S.C.C.E Servicio central cursos de español.
C/ Trafalgar, 32
28010 Madrid

Madrid, 3 de Junio de 1996

Sr Director:

Nos ponemos en contacto con ustedes para ofrecerles la posibilidad de mejorar su ya cualificada metodología para la enseñanza de español para extranjeros.

Soy Licenciada en CC. Educación con Logopedía como postgrado. Mi ámbito profesional, desde hace ya 10 años, es el tratamiento de las dificultades del habla entre otras, de su articulación, entonación, uso, estructuración... Considero que este aspecto de pronunciación - entonación, pocos centros lo atiende, pudiendo interesar a sus clientes mejorarla para conseguir un aprendizaje preciso y completo de nuestro idioma.

Espero que este tema sea de su interés y lo considere pudiendo hablar sobre ello si lo considera oportuno.

Esperando sus noticias y aprovechando la ocasión para saludarle atentamente,

Mª Luisa Massa

Mª Luisa Massa

**2** Las cartas anteriores reciben el nombre de "circular". Infórmate de sus características y coméntalas con tus compañeros(as).

## CARACTERÍSTICAS DE LA CIRCULAR

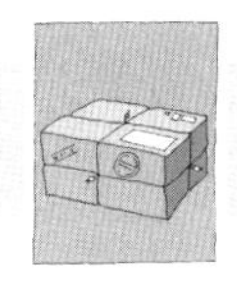

# TAREA FINAL

**1** Aquí tienes algunas ideas para montar un negocio “original”. Lee los textos atentamente y coméntalos con tus compañeros(as). Analiza los aspectos que te parezcan positivos y negativos de cada uno de ellos.

**EL NUEVO 'ECOCUBO'**

Desperdicios orgánicos
Vidrios y botellas
Cartón y papel
Pilas y baterías
Pedal
Latas y envases metálicos
Capacidad: **60 litros**
Dimensión: **50X50X40 cms.**

**Cada oveja con su pareja**

El *Ecocubo* está dividido en cuatro compartimentos que sirven para clasificar los restos reciclables. Un apartado contiene los vidrios, otro restos orgánicos y los dos restantes pilas y envases de conservas. Para ponerlo en marcha hay que crear una *joint-venture* con una empresa de plásticos para la fabricación y comercialización del producto.

## ASPECTOS POSITIVOS

_______________
_______________
_______________
_______________
_______________
_______________
_______________
_______________
_______________
_______________

## ASPECTOS NEGATIVOS

_______________
_______________
_______________
_______________
_______________
_______________
_______________
_______________
_______________
_______________

## Pintura, niños y cerveza

▶**BussÁrt.** Su servicio consiste en decorar oficinas con jóvenes promesas del mundo del arte en vez de con reproduciones de grandes obras. Con ese apoyo, el joven artista, avalado por la opinión de expertos, podrá revalorizarse e incrementar el valor de su obra. La empresa actúa de intermediaria entre los artistas con futuro y las compañías.
▶**Natalia.** Aunque no se presentó públicamente, para evitar que fuera copiado por algún *listillo*, este proyecto ofrece un servicio de alquiler de mobiliario y equipamiento para bebés. Su éxito se apoya en el alto coste de unos productos que se utilizan durante un corto periodo de tiempo.
▶**Cerveza La Milagrosa.** Fabrica cerveza, pero una cerveza muy artesanal. No compite con las marcas baratas, sino que va dirigida a un consumidor de cerveza muy selecta. “Se trata de fabricar a pequeña escala, pero con un alto margen en el precio”, asegura un promotor de la idea.

**2** *“Crear una empresa significa encontrar un producto o servicio que se pueda ofrecer al público, que encuentre sitio en el mercado”.*

Tened en cuenta la frase anterior y poneos manos a la obra. En grupos elegid el producto o servicio que creáis que puede tener un sitio en el mercado. No olvidéis justificarlo y hablar de sus características.

## APUNTE. PROYECTO EN... ESPAÑOL COMERCIAL

La productividad consiste en...

______________________________________________

______________________________________________

¿Cuál es la regla de oro para obtener mayor productividad?

______________________________________________

______________________________________________

¿En qué consiste la ley de la oferta y la demanda?

______________________________________________

______________________________________________

La competencia perfecta consiste en...

______________________________________________

______________________________________________

La competencia imperfecta consiste en...

______________________________________________

______________________________________________

Producto o servicio que se ofrece: características

______________________________________________

______________________________________________

Escribe una circular presentando el nuevo producto o servicio de tu empresa a los distintos y posibles clientes

______________________________________________

______________________________________________

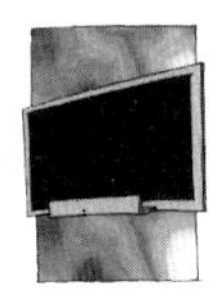

## FUNCIONES

✔ Hablar de las características de un producto o mercado.
*En un régimen de competencia monopolística el producto* ***es homogéneo***

✔ Hablar de las ventajas y desventajas de un producto o mercado y valorar.
***Es mejor entrar*** *en un mercado de competencia imperfecta* ***que*** *en uno de competencia perfecta*
***Es improbable que*** *se* ***dé*** *un mercado de competencia perfecta...*

✔ Expresar causa.

*La concentración de la producción funciona **no porque promueva** complejidad **sino porque promueve** la simplicidad, la disciplina*

✔ Hablar del futuro de un producto o mercado.

*El cliente ante la subida de precio **buscará** en otro lugar*

✔ Expresar hipótesis, probabilidad, posibilidad.

*La libertad de intercambio **debería** asegurar productos buenos*
***Quizá** el aumento del precio **se corresponde/corresponda** con una reducción de la cantidad de la demanda*

**TAREA:** En parejas, analizad el producto o servicio de vuestra empresa: sus ventajas/desventajas, sus características, su futuro, etc.

## CONTENIDOS GRAMATICALES

### ➡ FUTURO

✎ Acción posterior al momento en que se halla el hablante. Puede sustituirse por la perífrasis ir a + infinitivo o por el presente con valor de futuro.

*El cliente ante la subida de precio **buscará** en otro lugar*

✎ Probabilidad en el presente.

***Será** un buen momento para el mercado (=probablemente es un buen momento)*

### ➡ FUTURO PERFECTO

✎ Acción futura terminada.

*La próxima semana ya **habrá salido** el producto al mercado*

✎ Probabilidad en el pasado cercano.

*Ya **habrán empezado** a distribuirlo (=probablemente ya han empezado)*

### ➡ CONDICIONAL

✎ Futuro en relación con un pasado.

*Aseguraron que **entregarían** el pedido hoy*

✎ Acción futura como hipótesis.

***Apostaría** por la libertad de intercambio*

✎ Cortesía.

***Nos gustaría*** *hablar del precio del producto*

✎ Probabilidad en el pasado.

*No aceptó el precio.* ***Esperaría*** *una reducción (=probablemente esperaba una reducción)*

## ➡ CONDICIONAL PERFECTO

✎ Acción futura terminada en el pasado.

*Nos comunicaron que al día siguiente ya* ***habrían llegado*** *los nuevos productos*

✎ Acción no realizada o **hipótesis** en el pasado.

***Habrían negociado*** *con la empresa, pero no están preparados*

✎ Probabilidad en el pasado anterior a otro pasado.

*Pensé que* ***habrían variado*** *los precios del mercado (=quizá lo habían variado)*

## ➡ EXPRESAR PROBABILIDAD: quizá, tal vez, probablemente, posiblemente.

✎ Si la expresión va antes del verbo, éste puede ser indicativo o subjuntivo; el primero expresa mayor grado de probabilidad y el segundo un grado menor. Si va después del verbo, éste se construye en indicativo.

***Probablemente llegan/lleguen*** *a un acuerdo empresarial*
***Quizá tienen/tengan*** *problemas en el mercado exterior*

## ➡ HIPÓTESIS

✎ La hipótesis en el pasado puede expresarse indistintamente con condicional perfecto o pluscuamperfecto de subjuntivo. El significado no varía.

*Ellos no* ***habrían cerrado/hubieran cerrado*** *aquel negocio*

## ➡ POSIBILIDAD: puede que

✎ Puede ir con los cuatro tiempos del subjuntivo.

***Puede que*** *la duración del producto en el mercado* ***dependa/haya dependido/dependiera/ hubiera dependido*** *del consumidor*

## ➡ FRASES CAUSALES

✎ Expresan el motivo o causa de la acción del verbo principal.

*La concentración de la producción funciona* ***por promover*** *la simplicidad y la disciplina*
*La concentración de la producción funciona* ***no porque promueva*** *complejidad sino* ***porque promueve*** *la simplicidad y la disciplina*
***Puesto que es*** *muy complejo, tendrás que ayudarme*

# Unidad 3
# Recursos Humanos

- **Objetivo: ofertar empleo y elegir al candidato**
- **Contenido temático**
  - El mercado de trabajo
  - Diferentes tipos de contrato
  - Cómo se hace un curriculum
  - Jóvenes empresarios
- **Contenido comunicativo**
  - Hacer referencia al pasado profesional (períodos, épocas, fechas, trayectoria, cambios...)
  - Hablar del curriculum
  - Preguntar y responder acerca de la experiencia profesional
  - Solicitar una cita
  - Aceptar y rechazar una cita
  - Transmitir información
  - Hablar por teléfono
- **Contenido gramatical**
  - Pretérito perfecto
  - Pretérito indefinido
  - Contraste pretérito perfecto/indefinido
  - Contraste pretérito imperfecto/indefinido
  - Pretérito pluscuamperfecto
  - La construcción impersonal
- **Contenido léxico**
  - Léxico relacionado con el mundo laboral
- **Correspondencia comercial**
  - El curriculum: características y estructura
  - Expresiones

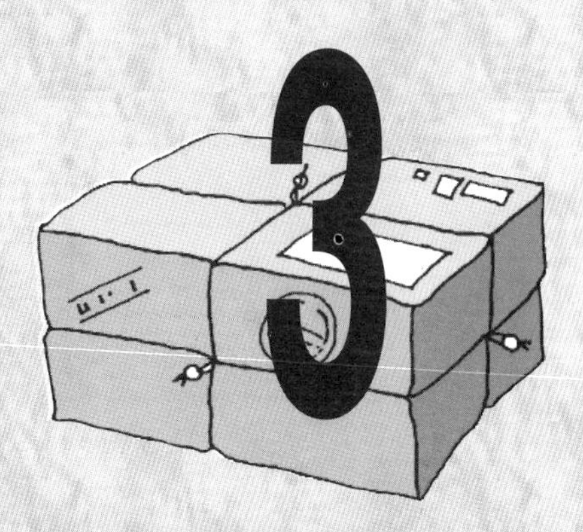

## ALGO DE VOCABULARIO SOBRE...

**1** Para que una empresa funcione adecuadamente, es necesario organizarla de tal manera que todos los que trabajan en dicha empresa sepan sus funciones y, así, no interferir en el trabajo de los otros. A continuación te presentamos algunos cargos o departamentos que hay que tener en cuenta para la buena organización de una empresa. En grupos, haced un diagrama de vuestro proyecto de empresa, considerando el tipo de empresa que es y el producto o servicio que ofrece. Podéis suprimir o añadir otros que aquí no aparezcan.

*Dirección General de Recursos, Director General, almacén, informática, Dirección financiera, publicidad, contabilidad, Recursos humanos, márketing, asesoría jurídica, formación, Director Comercial, ventas, control de calidad, Gerente, secretaria de dirección*

**2** Ahora, escribe en un papel la definición de los distintos cargos y departamentos que tendrá tu empresa y pásaselo a tus compañeros(as) para que corrijan dichas definiciones. Una vez terminada la actividad, comentadlo en clase y decidid cuál es la definición más adecuada.

**3** Las siguientes palabras se pueden encontrar en cualquier periódico que contenga ofertas de empleo. Lleva a clase diferentes periódicos y búscalas, después defínelas según su contexto. No olvides añadir a la lista aquéllas que creas necesarias.

*contrato, empleo, prestaciones, convenio, experiencia, curriculum vitae, servicio militar, sueldo, anuncio, entrevista, plantilla, formación, retribución, puesto*

**4** Observa los siguientes anuncios de ofertas de empleo y contesta. ¿Qué les hace diferentes?, ¿por qué?

**6853** *ORDEN de 20 de marzo de 1997 por la que se anuncia convocatoria pública para proveer un puesto de trabajo por el sistema de libre designación en el Instituto Nacional de las Artes Escénicas y de la Música.*

Conforme a lo dispuesto en el artículo 20.1.b) de la Ley 30/1984, de 2 de agosto, de Medidas para la Reforma de la Función Pública, modificado en su redacción por la Ley 23/1988, de 28 de julio y en uso de las atribuciones que tiene conferidas por Real Decreto 364/1995, de 10 de marzo,

Este Ministerio acuerda anunciar la provisión, por el procedimiento de libre designación, del puesto de trabajo que se relaciona en el anexo I de la presente Orden, con arreglo a las siguientes bases:

Primera.—El puesto de trabajo que se convoca podrá ser solicitado por los funcionarios que reúnan los requisitos establecidos para el desempeño del mismo.

Segunda.—Los interesados dirigirán sus solicitudes, que deberán ajustarse al modelo que figura en el anexo II, al ilustrísimo señor Subsecretario de Educación y Cultura, dentro del plazo de quince días hábiles contados a partir del siguiente al de la publicación de esta convocatoria en el «Boletín Oficial del Estado» y las presentarán en los Registros del Ministerio (plaza del Rey, 1, o calle Alcalá, 34. Madrid), o en la forma establecida en el artículo 38 de la Ley de Régimen Jurídico de las Administraciones Públicas y del Procedimiento Administrativo Común.

Tercera.—A las citadas solicitudes deberán acompañar currículum vitae en el que harán constar los títulos académicos que posean, puestos de trabajo desempeñados y demás circunstancias y méritos que estimen oportuno poner de manifiesto.

Madrid, 20 de marzo de 1997.—P. D. (Real Decreto 839/1996, de 10 de mayo, «Boletín Oficial del Estado» del 11; Orden de 23 de enero de 1997, «Boletín Oficial del Estado» del 28), el Director general del Instituto Nacional de las Artes Escénicas y de la Música, Tomás Marco Aragón.

**ANEXO I**

**Orden de 20 de marzo de 1997**

Número de orden: 1. Puesto de trabajo: Instituto Nacional de las Artes Escénicas y de la Música. Unidad de Apoyo Dirección General.—Secretario/a de Director general. Nivel: 16. Grupo: CD. Complemento específico: 547.692 pesetas. Administración: AE. Localidad y provincia: Madrid. Requisitos: Conocimientos de informática. Experiencia en puestos similares.

## MINISTERIO DEL INTERIOR

**6850** *ORDEN de 31 de marzo de 1997 por la que se anuncia convocatoria pública para proveer puestos de trabajo por el sistema de libre designación.*

De conformidad con lo dispuesto en el artículo 20.1.b) de la Ley 30/1984, de 2 de agosto, de Medidas para la Reforma de la Función Pública («Boletín Oficial del Estado» del 3), modificado en su redacción por la Ley 23/1988, de 28 de julio («Boletín Oficial del Estado» del 29), y en el artículo 52 del Real Decreto 364/1995, de 10 de marzo, por el que se aprueba el Reglamento General de Ingreso del Personal al Servicio de la Administración General del Estado y de Provisión de Puestos de Trabajo y Promoción Profesional de los Funcionarios Civiles de la Administración del Estado («Boletín Oficial del Estado» de 10 de abril),

Este Ministerio acuerda anunciar la provisión, por el procedimiento de libre designación, de los puestos de trabajo que se relacionan en el anexo I de la presente Orden, con arreglo a las siguientes bases:

Primera.—Los puestos de trabajo que se convocan podrán ser solicitados por los funcionarios que reúnan los requisitos establecidos para el desempeño de los mismos en la relación de puestos de trabajo aprobada por la Comisión Interministerial de Retribuciones para este Ministerio.

Segunda.—Los interesados dirigirán sus solicitudes, independientes para cada uno de los puestos de trabajo a los que deseen optar, a la Subdirección General de Personal del Departamento, calle Amador de los Ríos, 7, 28010 Madrid, en el modelo de instancia publicado como anexo II de la presente Orden.

Tercera.—El plazo de presentación de solicitudes será de quince días hábiles, contados a partir del día siguiente a aquel en que tenga lugar la publicación de esta Orden en el «Boletín Oficial del Estado».

Cuarta.—Los aspirantes acompañarán a la solicitud el currículum vitae en el que figuren títulos académicos, años de servicio, puestos de trabajo desempeñados en la Administración, estudios y cursos realizados, así como cualquier otro mérito que se considere oportuno.

Madrid, 31 de marzo de 1997.—P. D. (Orden de 6 de junio de 1996, «Boletín Oficial del Estado» del 7), la Subdirectora general de Personal, María del Val Hernández García.

Ilma. Sra. Subdirectora general de Personal.

**ANEXO I**

**Ministerio del Interior**

Número de orden: 1. Centro directivo/puesto de trabajo: Delegación del Gobierno en Melilla.—Ayudante Secretaria N16. Número de plazas: Dos. Nivel: 16. Complemento específico: 547.692 pesetas. Localidad: Melilla. Administración: AE. Grupos según el artículo 25 de la Ley 30/1984: C y D.

**5** Lee el siguiente texto acerca de la oferta de empleo público y coméntalo en clase. ¿Existen en tu país este tipo de ofertas de empleo? Explica su funcionamiento.

# *Qué es la Oferta de Empleo Público*

Según el Diccionario de la Real Academia Española, una oposición es un procedimiento selectivo consistente en una serie de ejercicios en que los aspirantes a un puesto de trabajo muestran su respectiva competencia, juzgada por un tribunal.

El derecho de todos los ciudadanos a ocupar los puestos de trabajo vacantes en las distintas Administraciones Públicas determinará que muchos jóvenes inicien, cada año, su preparación para superar las distintas pruebas y, así, demostrar su capacidad para ocupar el puesto ofertado.

El acceso a un puesto de trabajo en la empresa privada está supeditado, en la mayoría de los casos, al grado de conocimiento que se tiene de las personas con capacidad de contratar. En la Administración Pública, todos tenemos los mismos derechos, y cumpliendo los requisitos que se determinan en cada convocatoria, debe acceder aquel que demuestre mejor conocimiento de los programas exigidos.

A veces, se realizan manifestaciones contrarias a lo anteriormente expuesto, con el pensamiento de que el acceso a una plaza en las diferentes Administraciones Públicas es fruto del *enchufismo*.

No obstante, estamos convencidos de que estos casos, de producirse, sólo se llevan a cabo de forma ocasional y, cuando se tenga conocimiento de ello, debe ser denunciado, por haberse producido una violación de los derechos fundamentales. De forma clara se manifiesta en la Constitución Española, en el Art. 23.2, que "los ciudadanos tienen derecho a acceder en condiciones de igualdad a las funciones y cargos públicos, con los requisitos que señalen las leyes".

6 Con las palabras que has aprendido anteriormente elabora un anuncio de oferta de empleo considerando: *el tipo de empresa que oferta el anuncio, edad, posibilidades de promoción, formación, titulación, idiomas, experiencia, cualidades, remuneración, viajes, dietas...* Cuando hagas el anuncio, piensa en la empresa que has creado y sus necesidades.

7 Ordena, alfabéticamente, todas las palabras aprendidas y escribe al lado su significado.

**PALABRAS APRENDIDAS**

______________________________
______________________________
______________________________
______________________________
______________________________
______________________________
______________________________
______________________________
______________________________
______________________________
______________________________
______________________________

## LO QUE HAY QUE SABER SOBRE...

### *ENTÉRATE DEL CONTRATO QUE PUEDEN HACERTE*

*El mundo del contrato laboral es complejo, ya que existen 16 tipos de contratos con diferentes condiciones y prestaciones. Éste es el momento de conocer los más comunes que pueden realizarse a la hora de entrar a trabajar en una empresa.*

***Contrato en prácticas.*** *Sólo pueden acceder a él aquellas personas que estén en posesión de título universitario, de formación profesional o equivalente que habilite para el ejercicio profesional y debe realizarse dentro de los cuatro años inmedia-*

*tamente siguientes a la terminación de los estudios.*

*Cuando se convierte en indefinido, tiene una subvención de 550.000 pesetas para la empresa, pero recuerda que no podrás ser contratado en prácticas por la misma o distinta empresa por tiempo superior a dos años, en virtud de la misma titulación.*

*Su retribución varía según el convenio colectivo, aunque no puede ser inferior al 60 por ciento del salario fijado, también en convenio, para un trabajador que desempeñe el mismo puesto.*

***Contrato a tiempo parcial.*** *Dirigido a cualquier tipo de trabajador para realizar servicios durante un número de horas al día, semana, mes o año inferior al considerado como habitual en la actividad de que se trate.*

*Se presume concertado por un tiempo indefinido, aunque podrá ser determinado en los casos en los que la ley lo permita.*

*La cotización a la Seguridad Social será proporcional a los salarios percibidos por la horas reales de trabajo.*

***Contrato por obra o servicio.*** *Cuando en un determinado momento una empresa tiene que realizar un servicio con autonomía dentro de su propia actividad, se recurre casi siempre al contrato por obra. Se extingue cuando se realiza la obra o servicio, previa denuncia de las partes. Si la duración del contrato es superior a un año, la empresa está obligada a notificar su terminación con una antelación de quince días.*

***Contrato indefinido ordinario.*** *Debe celebrarse a jornada completa y para todos los días laborales del año, suponiendo aumento de plantilla fija respecto al año anterior. El trabajador debe llevar, al menos, un año inscrito en el INEM.*

*La empresa recibe una subvención de 400.000 pesetas.*

***Contrato por circunstancias de la producción.*** *Para atender las exigencias del mercado, acumulación de tareas o exceso de pedidos, aun tratándose de la actividad normal de la empresa, se utiliza este contrato, que puede firmar cualquier tipo de trabajador.*

*Su duración máxima es de seis meses, dentro de un periodo de doce. En caso de ser concertado por menos de seis meses, podrá prorrogarse hasta el máximo.*

***Contrato de interinidad.*** *En caso de sustitución de trabajadores de la empresa con derecho a reserva de puesto, la ley establece el contrato de interinidad, al que puede acceder cualquier trabajador durante el tiempo que subsista el derecho de reserva o el proceso de selección para cubrir el puesto vacante.*

***Contrato por lanzamiento de nueva actividad.*** *Se puede concertar en empresas de nuevo establecimiento o en las ya existentes que amplíen sus actividades como consecuencia del lanzamiento de una nueva línea de producción. Está dirigido a cualquier tipo de trabajador, y su periodo de duración es de seis meses a tres años.*

1 Después de leer el texto, por grupos, completad el siguiente cuadro:

**CONTRATO EN PRÁCTICAS**

a) Condiciones ____________________

b) Prestaciones ____________________

**CONTRATO A TIEMPO PARCIAL**

a) Condiciones ____________________

b) Prestaciones ____________________

**CONTRATO POR OBRA O SERVICIO**

a) Condiciones ____________________

b) Prestaciones ____________________

**CONTRATO INDEFINIDO ORDINARIO**

a) Condiciones ____________________

b) Prestaciones ____________________

**CONTRATO POR CIRCUNSTANCIAS DE LA PRODUCCIÓN**

a) Condiciones ____________________

b) Prestaciones ____________________

**CONTRATO DE INTERINIDAD**

a) Condiciones ____________________

b) Prestaciones ____________________

**CONTRATO POR LANZAMIENTO DE NUEVA ACTIVIDAD**

a) Condiciones ____________________

b) Prestaciones ____________________

2 Ya sabes en qué consisten los distintos tipos de contrato que se pueden hacer. ¿Podrías dar tu propia definición de cada uno de ellos?

3 ¿Cuáles son los contratos más habituales? ¿Qué tipo de contrato es más habitual para las mujeres? ¿Y para los hombres? Mira los siguientes gráficos e interprétalos. Después escribe la conclusión a la que llegues debajo de cada uno.

**HOMBRES**

______________________________

______________________________

______________________________

______________________________

______________________________

______________________________

______________________________

______________________________

______________________________

______________________________

______________________________

**MUJERES**

______________________________

______________________________

______________________________

______________________________

______________________________

______________________________

______________________________

______________________________

______________________________

______________________________

______________________________

## LO QUE SE DICE SOBRE...

**1** Escucha el siguiente texto y contesta.

**COCA-COLA CONTRA PEPSI**

a) ¿Qué condiciones tienen que darse para trabajar en Coca-Cola?

b) ¿Qué tipo de formación da Coca-Cola a sus empleados?

c) ¿Es seguro el trabajo en Coca-Cola?

d) ¿Cómo retiene Coca-Cola a sus empleados?

e) ¿Quién toma grandes decisiones en Coca-Cola?

f) ¿Qué condiciones tienen que darse para trabajar en Pepsi?

g) ¿Qué fomenta Pepsi entre sus empleados?

h) ¿Es seguro el trabajo en Pepsi?

**2** Vuelve a escuchar el texto y comenta con tus compañeros(as) las distintas estrategias tomadas por Coca-Cola y Pepsi. ¿Por cuál te inclinas? ¿Por qué?

3 Escuchad las siguientes afirmaciones y proceded a un debate en clase, "los que están a favor" y "los que están en contra", dando vuestras razones. Finalmente, intentad unificar criterios.

4 Teniendo en cuenta las afirmaciones anteriores y, según tu criterio, contesta las preguntas que se hacen en la siguiente encuesta.

**DECISIONES MUY PERSONALES**

**DOTACIÓN DE PERSONAL**

a) ¿Debe la empresa seleccionar a sus empleados de manera informal o sólo tras una búsqueda cuidadosa y costosa? ______________________________
______________________________
______________________________
______________________________
______________________________

b) La política de promociones y la gestión de la carrera profesional de los empleados entrañan una serie de opciones sobre los criterios de promoción. ¿Cuáles deberían ser dichos criterios? ______________________________
______________________________
______________________________
______________________________
______________________________

**FORMACIÓN**

a) ¿A quién corresponde la responsabilidad del desarrollo de capacidades: a la empresa o al trabajador? ______________________________
______________________________
______________________________
______________________________
______________________________

b) ¿Qué volumen de inversión en formación está dispuesta a realizar la empresa, y en qué trabajadores? ______________________________
______________________________
______________________________
______________________________
______________________________

c) ¿Qué tipo de capacidades se pretende desarrollar? ______________________________
______________________________
______________________________
______________________________
______________________________

## ORGANIZACIÓN DEL TRABAJO

a) Las descripciones de los puestos de trabajo, ¿deben ser generales o muy específicas? ____________________

b) ¿Se organizará a los trabajadores en equipos o cada uno desempeñará una función individual? ____________________

c) Si se crean equipos, ¿dichos equipos deben estar integrados por especialistas o por generalistas? ____________________

## SISTEMA RETRIBUTIVO

a) El sistema retributivo implica una serie de opciones, aunque es en ese ámbito donde las restricciones son más determinantes. El mercado de trabajo y el presupuesto reducen el margen de maniobra de las empresas en este terreno. Aun así, las empresas pueden optar entre ofrecer niveles retributivos relativamente bajos o relativamente altos en comparación con sus competidores o con algún otro grupo de referencia. Pueden también optar entre diferir la retribución, de modo que se acumule hasta el momento de la jubilación, o concentrar una parte de la retribución en forma de prestaciones. ¿Por qué sistema retributivo te inclinas tú? ____________________

5 Ahora, en grupos, encuestad a cinco personas utilizando las preguntas que habéis escuchado. Después haced una puesta en común y sacad las conclusiones oportunas.

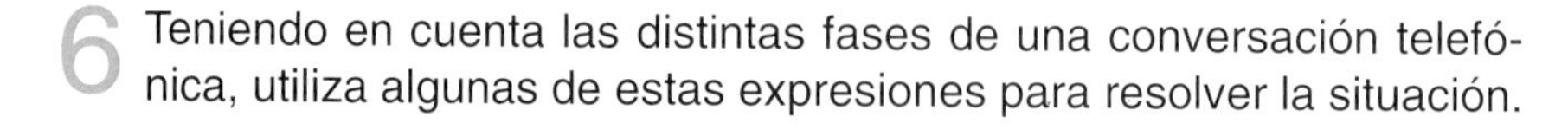

6 Teniendo en cuenta las distintas fases de una conversación telefónica, utiliza algunas de estas expresiones para resolver la situación.

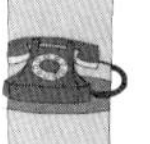

***¿está ... , por favor?***
***agradezco el interés que se ha tomado***
***llamaré en otro momento***
***enseguida se pone***
***¿quiere dejarle algún recado?***
***podría usted decirle que...***
***ya le volveré a llamar***
***¿podría ponerme con la extensión...?***
***quisiera hablar con... de...***
***¿le puede dar usted un recado a ...?***
***llamaré en otro momento***
***el/la sr(a) ... no se encuentra aquí ahora***
***buenos día, soy...¿está ..., por favor?***

SITUACIÓN: El sr. Picón llama por teléfono a la empresa "Proyecto" para concertar una cita con el sr. Requena, con motivo de la carta recibida indicándole que va a ser entrevistado la próxima semana.

## LO QUE SE ESCRIBE SOBRE...

1 Comenta con tus compañeros(as) las características que debe tener el **curriculum vitae** y escríbelas. ¿Podrías dar una definición de curriculum vitae?

2 A continuación presentamos un esquema de **carta curriculum,** ¿podrías poner un ejemplo siguiendo dicho esquema?

**ENCABEZAMIENTO**

*Destinatario*
*Fecha*

*Saludo*

**CUERPO**

*Motivo de la carta*
*Curriculum vitae*

**FINAL**

*Frase de despedida*

*Firma*

3 El siguiente texto enseña a hacer un curriculum, ¿estás de acuerdo con lo que se dice?, ¿por qué?, ¿coinciden las características que aquí se dan con las que apuntaste en la primera actividad?

***CÓMO SE HACE UN CURRICULUM***

*El curriculum vitae constituye una especie de pasaporte que nos puede permitir entrar en una empresa. Se trata de un documento corto, no más de dos o tres folios, que se envía a una o varias empresas en respuesta a un anuncio publicado por ellas o por iniciativa propia. En el curriculum debemos señalar nuestra biografía laboral y personal.*

*La primera regla que conviene recordar es que en un espacio muy reducido deberemos lograr convencer a nuestro seleccionador de que puede confiar en nosotros para el futuro: ése es nuestro objetivo.*

*El curriculum vitae (CV) consta de dos partes: los datos personales y la experiencia profesional.*

*Aunque existan algunas características comunes, podemos decir que no hay un curriculum adecuado para todas las ocasiones. Habrá que cambiarlo en función de la demanda de la empresa o de lo que deseemos obtener con nuestra autocandidatura.*

*El planteamiento gráfico es muy importante. Un buen curriculum vitae debe tener las siguientes características:*

- *ser escueto y vivaz, y contener detalles que susciten el interés del lector-seleccionador;*
- *tener una presentación clara y estar bien distribuido gráficamente;*
- *contener un resumen completo de la vida profesional del sujeto con los datos más interesantes: dónde se ha trabajado, dando nombres y direcciones (muy importante para pedir referencias), qué funciones se desarrollaban y por qué se ha abandonado el trabajo;*
- *citar una serie de ventajas ofrecidas a la empresa por el hecho de contratarnos y por la idea que pretendemos proponer;*
- *por último, no debe contener errores de ortografía.*

4 En grupos, elaborad varios curriculum contestando a las solicitudes de empleo que se elaboraron al principio de la lección. Las siguientes expresiones pueden ser muy útiles a la hora de elaborar un curriculum.

***MOTIVO***

Me dirijo a Vds. con motivo del anuncio publicado... de fecha... del presente, por el cual ofrecían un puesto de...

***FINAL***

En espera de sus prontas noticias, les saluda(o) muy atentamente
Sin otro particular y esperando noticias suyas, les saluda(o) atentamente
En espera de que acojan favorablemente mi ofrecimiento, les ruego que acepten mi respetuosa consideración
Agradecería la oportunidad de poder presentarme ante Vds. para poder ampliar toda la información que necesiten
Les agradecería que me concedieran una entrevista para poder tratar más ampliamente los puntos que Vds. deseen/crean oportunos

**CURRICULUM**

________________________
________________________

________________ :

________________________________________________
________________________________________________
________________________________________________
________________________________________________
________________________________________________
________________________________________________
________________________________________________
________________________________________________

________________

________________________

## TAREA FINAL

1 Durante la lección has tenido que ofertar empleo, conocer los distintos tipos de contratación y elaborar un curriculum vitae contestando a la oferta de empleo; ahora con toda la información que tienes selecciona al candidato que mejor se adapte a tu empresa y justifícalo.

2 Si has elegido al candidato, sólo te queda contactar con él y concertar una cita. En grupos preparad una entrevista con preguntas, gráficos, etc. y representad dicho encuentro.

3 ¿Ha pasado la prueba tu candidato(a)?, ¿qué tipo de contrato se le hará?, ¿por qué? Justifica todas tus respuestas teniendo en cuenta la empresa que has creado, el producto o servicio que ofrece, etc.

## APUNTE. PROYECTO EN... ESPAÑOL COMERCIAL

Organigrama y definición de los departamentos de la empresa

______________________________

______________________________

______________________________

______________________________

______________________________

¿En qué consiste la oferta de empleo público?

______________________________

______________________________

______________________________

ANUNCIO. Oferta de Empleo Público

______________________________

______________________________

______________________________

Contratos más comunes

*Contrato en prácticas* ____________________________________

*Contrato a tiempo parcial* ____________________________________

*Contrato por obra o servicio* ____________________________________

*Contrato indefinido ordinario* ____________________________________

*Contrato por circunstancias de la producción* ____________________________________

*Contrato de interinidad* ____________________________________

*Contrato por lanzamiento de nueva actividad* ____________________________________

*¿Qué tipo de contrato se le hará al candidato(a)?, ¿por qué? Justifícalo*

____________________________________

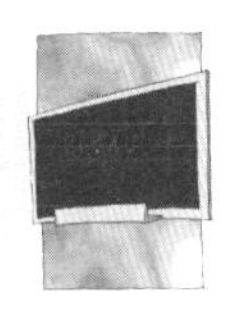

# FUNCIONES

✔ Hacer referencia al pasado profesional (períodos, épocas, fechas, trayectoria, cambios...).

Enrique Amigó **puso** en marcha una pequeña industria para elaborar zumo de naranja fresco
Después de casi diez años de investigación, **en 1991, constituyó** la sociedad Solete Spania
La inversión inicial **fue** de veinte millones

✔ Hablar del curriculum.

**El pasado mes de Junio terminé** la carrera y **volví** a mi ciudad natal
Como muchos universitarios, **recorrí** varias empresas de trabajo temporal

✔ Preguntar y responder acerca de la experiencia profesional.

¿**Ha sacrificado** usted muchas cosas en su vida por las ocupaciones de sus cargos?
¿Se siente satisfecho de los resultados que se **obtuvieron** durante su presidencia?

✔ Solicitar una cita.

¿**Querría/quisiera** concertar una cita con...?
¿**Le viene bien en**.../**Le viene bien a** las cuatro y media?
¿**Qué le parece** el día...?
**Le puedo dar hora** a las...
(...) **Puede recibirle a usted** el ...
**Tendría que ser**...

✔ Aceptar/rechazar una cita.

**De acuerdo, de acuerdo, quedamos...**
**Sí, encantado**
**Aceptaría encantado/me gustaría pero...**
A esa hora **me es imposible**

✔ Transmitir información.

Los jóvenes empresarios **dicen que ha empezado** a formarse una cultura de creación de empresas
El consejero de economía **ha dicho que** el principal objetivo **es** la creación de empleo

**TAREA:** Formad parejas y entrevistad a vuestro(a) compañero(a). Preguntadle sobre su experiencia profesional, cómo empezó, qué éxitos profesionales ha tenido, etc.

# CONTENIDOS GRAMATICALES

## TIEMPOS DEL PASADO

### ➡ PRETÉRITO PERFECTO

✎ Se utiliza para expresar acciones realizadas en unidad de tiempo no terminada (hoy, esta mañana/tarde/noche, este mes/verano/año, este fin de semana...).

*Este año es el año. **Ha llegado** el momento internacionalizar nuestra producción*

*La demanda laboral **ha mejorado** bastante dentro de los primeros meses de este año*

✎ Para valorar un acontecimiento o actividad reciente, utilizamos el pretérito perfecto del verbo ser.

*Las medidas tomadas **han sido** muy positivas*

### ➡ PRETÉRITO INDEFINIDO

✎ Se utiliza para expresar acciones realizadas en unidad de tiempo terminada (ayer, el fin de semana pasado, el año pasado, hace un año/dos semanas, el día 3 de abril...).

*El mes pasado Gonzalo Abril **fue contratado** por una empresa inmobilaria.*

### ➡ CONTRASTE PRETÉRITO PERFECTO/INDEFINIDO

✎ Si no hay expresiones temporales en la frase debemos tener en cuenta la distancia de ese pasado con respecto al momento actual; es un criterio más subjetivo. El pretérito perfecto expresa un pasado cercano y equivale frecuentemente a "acabar de + infinitivo". El indefinido expresa un pasado que el hablante considera más lejano.

*Se **han mantenido** los proyectos del Instituto de Finanzas, pero no **se renovaron** los anteriores*

### ➡ PRETÉRITO IMPERFECTO

✎ Cortesía con valor de presente.

*¿**Podría** concertar una cita con el sr. Peláez?*

✎ (Ver lección 1 Empresa y empresarios).

### ➡ CONTRASTE PRETÉRITO IMPERFECTO/INDEFINIDO

✎ Utilizamos el imperfecto para describir una situación en el pasado y el indefinido para narrar (contar) un suceso o acontecimiento del pasado.

***Había** muchos trabajadores en aquella empresa pero ninguno **fue** despedido*

✎ El imperfecto expresa una acción durativa en el pasado, y el indefinido una acción puntual o interrumpida en el pasado.

Juan **escribía** el informe cuando el director lo ***llamó***

### ➡ PRETÉRITO PLUSCUAMPERFECTO

✎ Indica una acción pasada anterior a otra acción del pasado.

*Nunca **había trabajado** de cara al público hasta que entró en Tecno S.A.*

### ➡ LA CONSTRUCCIÓN IMPERSONAL

✎ La construcción impersonal se usa cuando el sujeto es indeterminado o desconocido, o simplemente no queremos mencionarlo. El verbo va siempre en singular.

***Se necesita** director comercial*

***Se requiere** disponibilidad para viajar*

# Unidad 4

# Márketing, publicidad y distribución

- **Objetivo: crear y elaborar un eslogan y un anuncio publicitario**
- **Contenido temático**
  - El capital de marca
  - El cibermárketing
  - Distribución comercial: el cambio necesario
  - Ética: márketing y publicidad
  - Técnicas publicitarias
- **Contenido comunicativo**
  - Expresar opinión
  - Mostrar acuerdo o desacuerdo
  - Persuadir, sugerir, convencer, atraer y aconsejar al cliente
  - Expresar deseos
  - Hacer peticiones
  - Expresar causa y finalidad
  - Expresar condición
  - Hablar por teléfono: estrategias para llamar al exterior
- **Contenido gramatical**
  - Uso del subjuntivo: verbos de opinión, comunicación y sentido
  - Uso del subjuntivo: verbos de voluntad, mandato, petición, influencia
  - Uso del subjuntivo: frases condicionales con "Si"
- **Contenido léxico**
  - Léxico relacionado con el márketing, la publicidad y la distribución
- **Correspondencia comercial**
  - El lenguaje publicitario: características

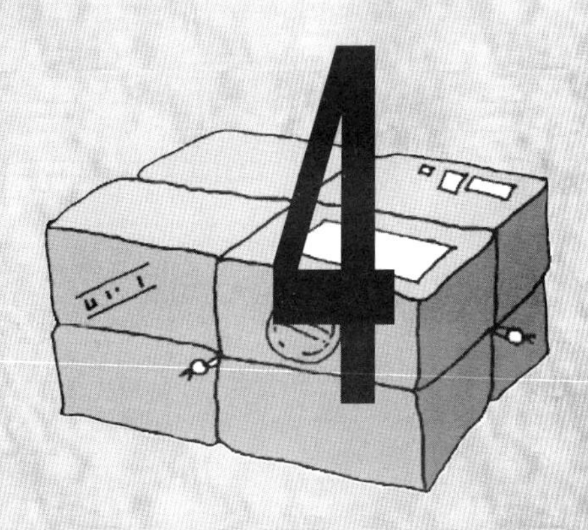

## ALGO DE VOCABULARIO SOBRE...

1 Alrededor de la palabra MÁRKETING hay otras palabras relacionadas con ella. Agrupa los sustantivos, adjetivos y verbos y busca en el diccionario las que no entiendas. Después, haz una frase con cada una de ellas.

oferta promover deuda táctica
demanda coste usuario rentabilidad ética
estrategia planificación distribución desarrollo marca
organización **MÁRKETING** consumo producto
consumidor estudio costoso técnica
mercancia productivo promocionar competir
servicio investigación promoción

2 Con la ayuda de las palabras anteriores, en grupos, explicad lo que entendéis por "Márketing" y elaborad una definición.

**MÁRKETING**

3 Teniendo en cuenta tu concepto de Márkerting, comenta cuáles deberán ser las funciones y el objetivo del Márketing. Pueden ayudarte las palabras de la actividad número 1.

| FUNCIÓN | OBJETIVO |
|---|---|
| | |

**4** Lee las siguientes palabras y escribe en el centro la palabra clave que pueda relacionarlas.

cartel mensaje tríptico publirreportaje apelar

agencia eslogan imagen soportes captar patrocinio

[          ]

inversión medios persuasión díptico atención

promocionar cuñas exhibidores folleto

**5** Formad cuatro grupos y buscad información sobre los distintos medios que existen para difundir la publicidad: lugares, soportes publicitarios, técnicas y medio de difusión.

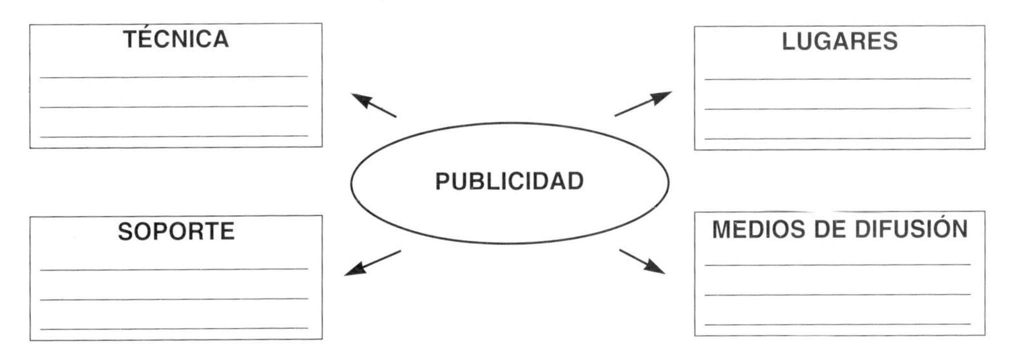


**6** Piensa en el servicio o producto de tu empresa y elige el medio, el soporte, el lugar y la técnica publicitaria.

MEDIO ____________________

LUGAR ____________________

SOPORTE ____________________

TÉCNICA ____________________

**7** Busca todas las palabras relacionadas con **distribución** teniendo en cuenta el diagrama.

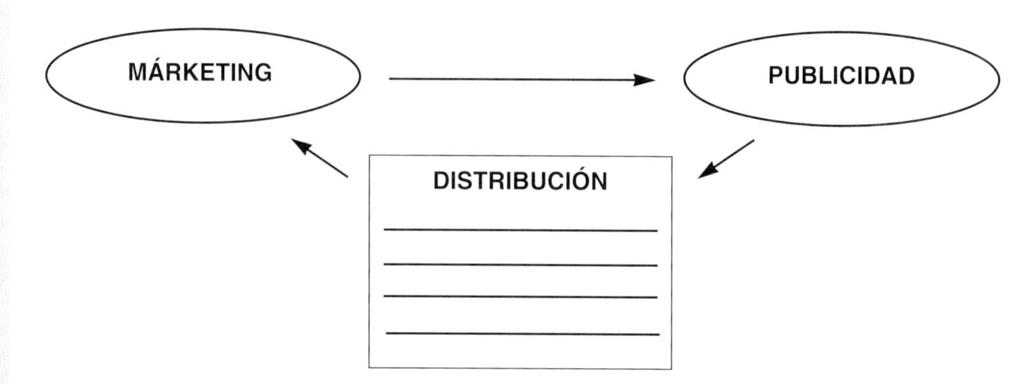


8 Con los términos de la actividad anterior y con los que has aprendido anteriormente, completa el diagrama con todas las palabras que puedan ser comunes a "MÁRKETING, PUBLICIDAD Y DISTRIBUCIÓN".
Después, justifícalo.

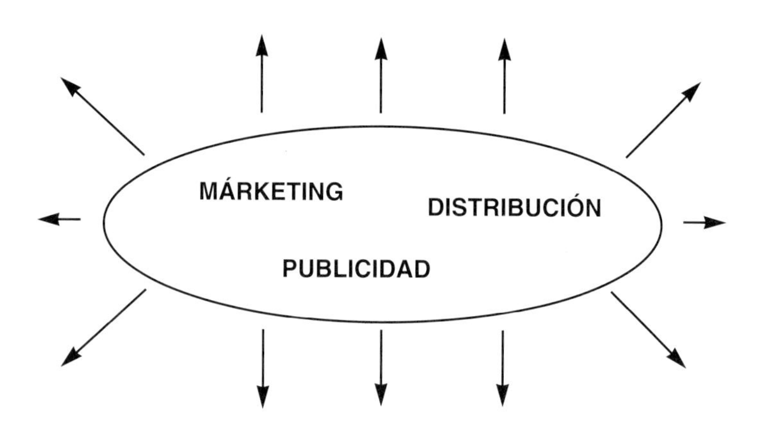


9 Ahora, intenta dar una definición de "márketing, publicidad y distribución".

10 Crea un pequeño texto sobre "márketing, publicidad y distribución".

**11** El diccionario de la Real Academia Española de la lengua (RAE) define el término **publicidad** de la siguiente manera: "divulgación de noticias o anuncios de carácter comercial para atraer a posibles compradores, espectadores y usuarios, etc." Contrasta la información que aquí se da con la definición de la RAE y llega a una conclusión.

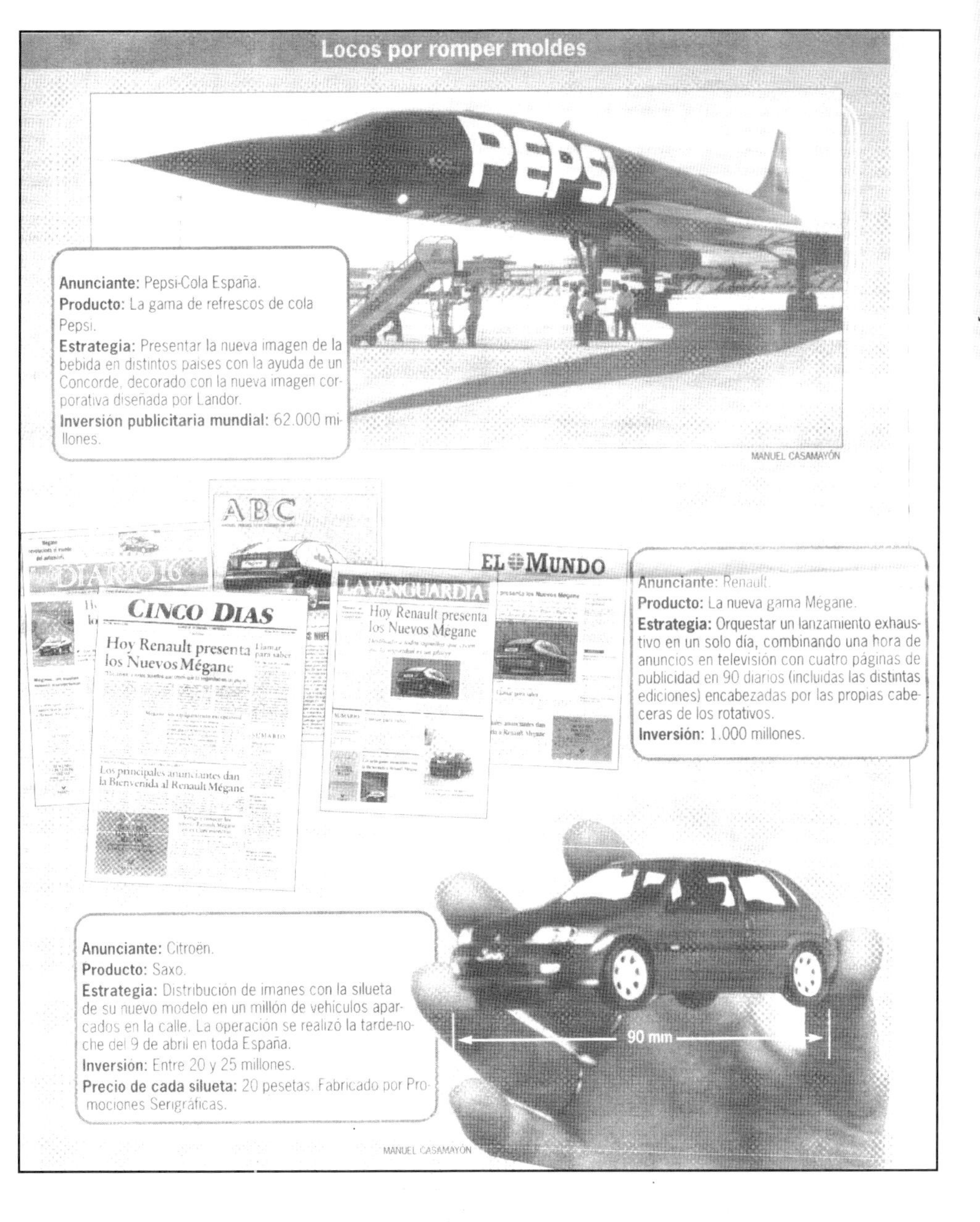

12 Ordena, alfabéticamente, todas las palabras aprendidas y escribe al lado su significado.

### PALABRAS APRENDIDAS

## LO QUE HAY QUE SABER SOBRE...

1 Lee la siguiente frase y di si estas de acuerdo o no con ella.

*"La marca como personalidad de la empresa y el márketing como gestión de las relaciones de una marca con los consumidores se han consolidado como forma de comprender esta función"*

2 ¿En qué consiste el capital de marca? Lee el siguiente texto y después explica en qué consiste.

***EL CAPITAL DE MARCA***

*"La concepción del márketing como gestión de una red de relaciones entre la marca y sus distintos clientes es fundamental y debería ocupar un lugar junto al paradigma tradicional y al paradigma estratégico. Pero, ¿qué entendemos por productos, marcas y capital de marca, materiales de construcción del márketing?*

*Los dos primeros son medios para satisfacer a los clientes: el capital de marca es el activo que va acumulando el responsable de márketing de una empresa para garantizar la continuidad en la satisfacción del cliente y el beneficio para la empresa.*

*El desarrollo de relaciones de marca es la función primordial del márketing, y el capital de marca es el estado de estas relaciones en un momento dado. Pero no es fácil medirlas. Medir el comportamiento del cliente, por ejemplo, si compra o no, es un buen método, pero es un método indirecto. La conducta es consecuencia de las relaciones, no un indicador directo de cómo debe actuar el responsable de márketing. Para cuando el consumidor ha abandonado la marca, puede ser demasiado tarde.*

*Al responsable de márketing le gustaría saber qué piensan y sienten los clientes sobre la marca. El capital de marca se encuentra en la mente del cliente, mientras que las medidas más extendidas del capital de marca se basan en su conducta, sobre todo en la cuota de mercado y el precio relativo".*

3 El capital de marca es un concepto tan rico que conviene examinar sus componentes. Lee dichos componentes y pon un título que resuma cada uno de ellos.

a) Comprende las creencias, gustos y disgustos y comportamientos acumulados de quienes están en contacto con la marca. Por ejemplo, la conciencia de marca es una medida clave del capital de marca.

b) Según la forma de comercialización, el consumidor final, o usuario final, puede ser más o menos importante que el cliente directo. La importancia relativa de los agentes ajenos –periodistas o asesores profesionales– vendrá determinada por las circunstancias.

c) Los hábitos de pensamiento del cliente pueden programarse en su sistema informático, como cuando un encargado de compras de un supermercado hace un pedido de vodka que el ordenador convierte en un pedido de Smirnoff.

d) El espacio habitualmente reservado a la marca a todos los niveles se adquiere a costa de muchos esfuerzos y gastos.

e) Es el resultado de las relaciones a largo plazo entre las distintas personas que participan en el proceso de marketing (desarrollo de marcas). La clave está en la continuidad.

4 ¡A MÍ MIS LEALES! El siguiente título está relacionado con "la marca" y "el márketing" ¿Qué puedes decir a partir de él?

5 Comprueba con el texto original y comenta las diferencias entre tu texto y el original.

### *A MÍ MIS LEALES*

*En 1983, Ted Levitt, experto en márketing, observó que "en una producción creciente de las transacciones, en la práctica la relación se intensifica después de la venta". En otras palabras, la transacción no es el final del proceso. La venta marca el comienzo de una relación de marca con el usuario.*

*Las empresas se dieron cuenta de que era más difícil, y más caro, encontrar nuevos clientes que mantener los que ya se tienen. Por ello, había que tener en cuenta la rentabilidad a largo plazo de un cliente, no la rentabilidad de una operación concreta. Este planteamiento pasó del márketing industrial al márketing al por menor.*

*Un ejemplo muy utilizado, aunque seguramente apócrifo, es el de Nordstrom, los grandes almacenes de descuento de Estados Unidos que nacieron en el noroeste del país. El credo de Nordstrom consiste en la satisfacción del cliente a largo plazo. Cuentan que un cliente devolvió un neumático de coche que había comprado varios años antes, formulando una queja sobre su calidad. A pesar de todo el tiempo transcurrido, Nordstrom le devolvió a su supuesto cliente íntegramente el dinero que había pagado sin hacerle ninguna pregunta adicional. ¿Qué había de exraño en ello? Que Nordstrom jamás había vendido neumáticos de coche.*

6 Lee el siguiente texto y contesta ¿cuál crees tú que será la clave del éxito del cibermárketing? Justifica tu respuesta.

### *EL CIBERMÁRKETING*

*Las ventas electrónicas, incluidas las ventas realizadas a través de internet, la red mundial de ordenadores, constituyen otra área de gestión del cliente como activo de márketing que, a primera vista, puede parecer un nuevo escenario en el que predominan las ventas aisladas.*

*El márketing electrónico es el campo donde mayores son el desafío y la oportunidad que supone crear una base de clientes fieles mediante el desarrollo de una base de datos de clientes con fines comerciales. Evidentemente, las ventas a través de internet constituyen un excelente ejemplo de márketing directo, definido como aquel sistema en el que la información sobre los clientes contribuye directamente a la labor de comercialización de los distintos productos de la empresa.*

*Pero los restantes clientes potenciales –es decir, las personas que todavía no han efectuado ninguna compra– pueden clasificarse y segmentarse por el tipo de información que han consultado (por ejemplo a través de la Word Wide Web, la zona multimedia de mayor crecimiento de internet) o por las preferencias que declaran directamente en el caso de que hayan respondido a la invitación a proporcionar dicha información.*

7 Táctica y estrategia son dos factores a tener en cuenta en el márketing. ¿Qué táctica o estrategia seguirías en tu campaña? Observa el siguiente gráfico donde se dan las distintas tácticas y estrategias para atraer al cliente, al que se considera como activo estratégico.

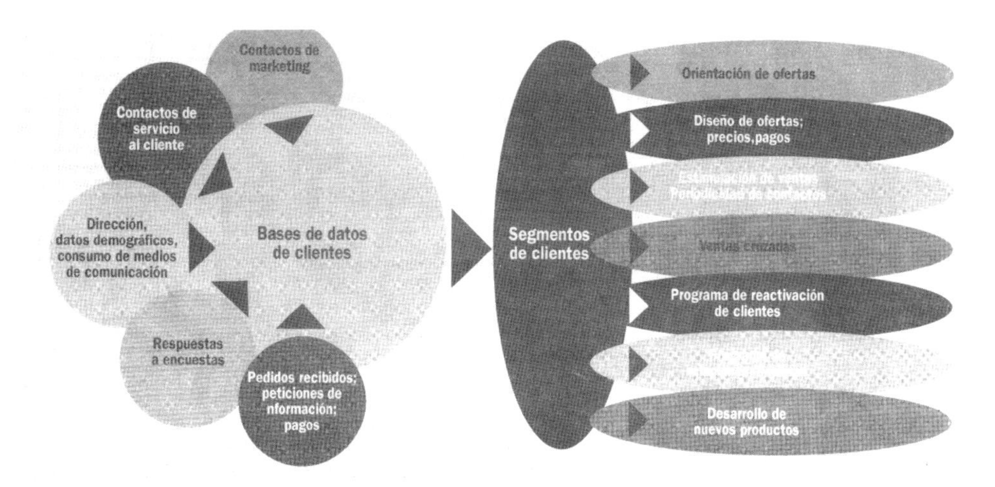


8 A partir del siguiente gráfico y con el título que se da, **"NUEVO PARADIGMA"**, elabora un texto teniendo en cuenta todo lo estudiado.

**NUEVO PARADIGMA**

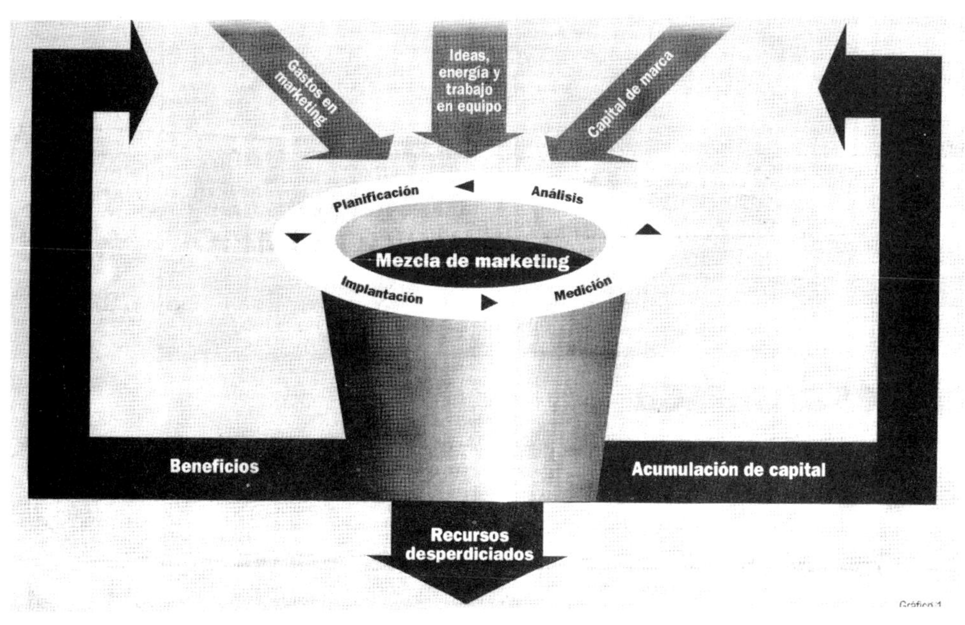


Gráfico 1

9 Completa el cuadro reaccionando como cliente ante la acción del vendedor. Después añade las acciones y reacciones que creas oportunas.

**ACCIONES - REACCIONES**

| ***Acción del vendedor*** | ***Reacción del cliente*** |
|---|---|
| ***Si no hay*** *un comienzo rico en ideas y sugerente,* | ***no habrá*** *curiosidad por la propuesta* |
| ***Si no hay*** *un tratamiento individual al cliente,* | ***no habrá*** *un trato positivo* |
| ***Si no hay*** *empatía,* | ***no habrá*** |
| ***Si no hay*** *una escucha activa,* | ***no habrá*** |
| ***Si no hay*** *argumentos pertinentes sobre las ventajas,* | ***no habrá*** |
| ***Si no hay*** *amor por la empresa propia,* | ***no habrá*** |
| ***Si no hay*** *convencimiento sobre el precio,* | ***no habrá*** |
| ***Si no hay*** *preguntas certeras,* | ***no habrá*** |
| ***Si no hay*** *ofrecimento de soluciones a un problema,* | ***no habrá*** |
| ***Si no hay*** *un lenguaje claro,* | ***no habrá*** |
| ***Si no hay*** *concisión en las palabras,* | ***no habrá*** |
| ***Si no hay*** *apelación a los sentimientos,* | ***no habrá*** |
| ***Si no hay*** *reconocimiento de las señales de compra,* | ***no habrá*** |
| ***Si no hay*** *entusiasmo por...,* | ***no habrá*** |
| ***Si no hay*** *"alegría de vender",* | ***no habrá*** |
| ***Si no hay*** | ***no habrá*** |
| ______________________ | ______________________ |
| ______________________ | ______________________ |
| ______________________ | ______________________ |

## LO QUE SE DICE SOBRE...

**1** Escucha y completa los cambios que se han producido en la distribución comercial.

a) De las tradicionales tiendas de las tres bes, "bueno, bonito y barato", a ________

b) De las mercancías almacenadas en la pequeña trastienda, al ________

c) Del hoy para mañana, a ________

d) ¿A qué se deben dichos cambios o transformaciones? ________

**2** Comenta con tus compañeros/as la siguiente pregunta:

*" ¿Son siempre éticos el márketing y la publicidad?"*

**3** Escucha el siguiente texto y compáralo con la respuesta dada anteriormente.

**4** Antes de llamar por teléfono tienes que estar preparado. Lee las siguientes estrategias para llamar al exterior y coméntalas.

### ESTRATEGIAS PARA LLAMAR AL EXTERIOR

**ANTES DE LLAMAR**

* Reúne toda la información necesaria acerca de la persona a la que vas a llamar: número de teléfono y extensión, nombre y cargo, etc.
* Organiza toda la información que tienes que dar durante tu llamada: número de carta (pedido) a la que estás haciendo referencia, expedientes, gráficos, calendarios, folletos, nombres, direcciones, números de teléfono, etc.
* Intenta prever las preguntas que puede hacerte la persona a la que llamas por teléfono: ¿quién?, ¿qué?, ¿cómo?, ¿dónde?, ¿por qué?, ¿a qué hora?, etc.

**AL TELÉFONO**

* Di tu nombre y el nombre de la empresa para la que trabajas. Explica la razón de tu llamada y da el nombre de la persona con la que quieres hablar o pregunta quién puede ayudarte.
* Utiliza la información que has preparado anteriormente: gráficos, folletos, calendarios, lista de precios...
* No olvides utilizar frases corteses del tipo: le agradecería que me mandara lo antes posible..., ¿le importaría mandarme la información...?, espero seguir en contacto con usted(es)...

5 Formad parejas y simulad una conversación telefónica. No olvidéis utilizar las estrategias anteriores.

## LO QUE SE ESCRIBE SOBRE...

1 La publicidad consiste en dar a conocer un producto para provocar el interés en el consumidor y, de esta manera, su demanda. Partiendo de esta premisa ¿cuáles serán las características del lenguaje publicitario?

**Características del lenguaje publicitario**

_______________________________________________

_______________________________________________

_______________________________________________

_______________________________________________

_______________________________________________

_______________________________________________

_______________________________________________

_______________________________________________

_______________________________________________

2 El lenguaje publicitario emplea todo tipo de recursos fonéticos, ortográficos, gramaticales, retóricos, etc. Busca anuncios publicitarios y clasifícalos según el tipo de recurso empleado. Después explícalos.

3 El anuncio publicitario intenta atraer la atención del lector/consumidor mediante un lenguaje basado en el juego de palabras: Busca, identifica y explica los juegos de palabras existentes en los anuncios publicitarios seleccionados.

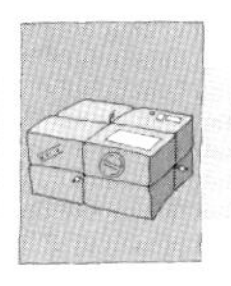

# TAREA FINAL

1 Piensa en el producto o servicio que ofrece tu empresa y crea el eslogan y el anuncio publicitario adecuado.

2 Has creado tu eslogan y anuncio publicitario, pero necesitas introducir el producto o servicio en otros mercados-países por lo cual tendrás que realizar algunos cambios. Vuelve a revisar tu anuncio y decide:

- ¿Qué tipo de información cultural debería aparecer?

- ¿Qué aspectos del carácter nacional aparecen?

- ¿Cómo quiere impactar en el cliente?

- ¿Cómo llega al cliente extranjero?

- ¿Qué estereotipos aparecen en la publicidad?

3 Una vez elaborado el nuevo anuncio publicitario, explica cómo a partir de la publicidad se pueden ampliar los conocimientos culturales y conocer mejor a un posible comprador.

## APUNTE. PROYECTO EN... ESPAÑOL COMERCIAL

Definición conjunta de márketing, publicidad y distribución

______________________________
______________________________
______________________________

Publicidad del producto o servicio:
Medio ______________________________
Lugar ______________________________
Soporte ______________________________
Técnica ______________________________

El capital de marca consiste en ______________________________
______________________________
______________________________

¿Qué cambios se han producido en la distribución comercial?

______________________________
______________________________
______________________________

Eslogan y anuncio publicitario. Justificación

______________________________
______________________________
______________________________

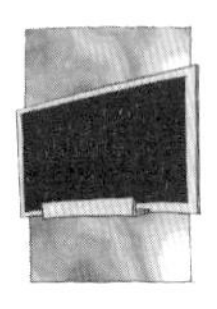

## FUNCIONES

✔ Expresar opinión.

***Creo que*** *un marketing poco ético* ***es*** *un mal márketing y, a la larga, un mal negocio*
***Nuestro punto de vista es que*** *el comercio* ***es*** *mucho más que un arte*
***No parece que sea apropiado*** *seguir una política de precios poco agresiva*

✔ Mostrar acuerdo o desacuerdo.

***No estamos del todo convencidos de que*** *ésa* ***sea*** *la política a seguir*
***No estamos totalmente de acuerdo. En nuestra opinión sería*** *mucho mejor* ***trabajar*** *con una agencia de publicidad*
***Estamos totalmente de acuerdo***

✔ Persuadir, sugerir, convencer, atraer y aconsejar al cliente.

*__Atiende__ sus necesidades*
*__Háblale__ de cómo aumentar sus beneficios*
*__Interésate__ por sus problemas*
*__Conviene reducir y consolidar__ la base con los clientes*
*__Le sugiero que gestione__ de otra manera la cadena de provedores*

✔ Expresar deseos.

*Al responsable de márketing __le gustaría saber__ qué piensan y sienten los clientes sobre la marca*
*__Queremos que estén__ muy claras las competencias de cada cual*

✔ Hacer peticiones.

*El consumidor __demanda__ un comercio cada vez más ágil __que__ le __dé__ facilidades a la hora de comprar*
*El cliente __pide__ al vendedor __que sea__ honrado y digno de confianza, __que se interese__ por sus problemas*

✔ Expresar causa y finalidad.

*La empresa gana __por__ rendimiento, __por__ claridad, __por__ confianza*
*La estrategia es nuestra y ellas están solamente __para__ ejecutarla*

✔ Expresar condición.

*__Si__ no __hay__ un comienzo rico en ideas, no __habrá__ curiosidad por la propuesta*
*__Si__ no __hay__ un tratamiento individual, no __habrá__ un trato positivo*

**TAREA:** Los clientes tienen determinadas expectativas de cuyo cumplimiento depende el éxito del vendedor. A continuación te presentamos los deseos y peticiones de los clientes, analiza el problema y busca una solución.

Deseos/peticiones de los clientes: **"ayúdame", "habla mi lengua", "preocúpate por mí", "familiarízate con mi empresa", "sé razonable", "sé profesional", "instrúyeme", "toma el mando", "no te aferres a lo viejo", "traéme cosas nuevas".**

**MODELO:**

Cliente: "Ayúdame"
Vendedor: Cuando el cliente pide ayuda, desea que se atiendan sus necesidades y se aporten resultados rápidos porque tiene más necesidades.

# CONTENIDOS GRAMATICALES

## USOS DEL SUBJUNTIVO: verbos de opinión, comunicación y sentido

➡ **Estructura**

- V1 + que + V2 (en indicativo, si el V1 es afirmativo).
  *Creo que todos están interesados en la campaña publicitaria*
- NO + V1 + que + V2 (en subjuntivo, si el V1 es negativo).
  *No creo que todos estén interesados en la campaña publicitaria*

➡ **Verbos**

- de opinión: creer, pensar, opinar, considerar...
- de comunicación: decir, contar, contestar, explicar, comentar, responder...
- de sentido: ver, oír, observar, comprobar...

## USO DEL SUBJUNTIVO: verbos de voluntad, mandato, petición, influencia

➡ **Estructura**

- V1 + que + V2 (en subjuntivo cuando hay sujetos diferentes).
  *El consumidor **quiere que** el comercio **sea** cada vez más ágil*
- V1 + V2 (en infinitivo cuando hay un mismo sujeto).
  *Los comerciantes **desean evitar** la recesión de la demanda*

➡ **Verbos**

- de voluntad: querer, conseguir, desear, intentar...
- de mandato, petición: ordenar, mandar, pedir, demandar, exigir...

## USO DEL SUBJUNTIVO: oraciones condicionales con SI

Son aquéllas que expresan una condición que debe cumplirse para la realización de la acción principal, de la que dependen.

➡ **Si + indicativo**: expresa una acción probable.

| Oración con SI | | Oración principal |
|---|---|---|
| SI + presente | | presente |
| pret. perfecto | + | futuro |
| | | imperativo |

*__Si__ no __hay__ un comienzo rico en ideas, __no habrá__ curiosidad por la propuesta*

➡ **Si + subjuntivo**: expresa una acción improbable o imposible.

| Oración con SI | | Oración principal |
|---|---|---|
| SI + imperfecto de indicativo | + | condicional simple |
| SI + pluscuamperfecto de subjuntivo | + | condicional compuesto |

*__Si__ no __hubiera habido__ reducción de costes e incremento del valor del consumo, no __se habría adquirido__ una ventaja competitiva*

# Unidad 5
# El sistema fiscal. Impuestos

- **Objetivo: cumplir con las obligaciones tributarias del Estado Español**
- **Contenido temático**
  Tasa e impuesto
  Impuestos directos e indirectos
  El ITE y el IVA
  El funcionamiento del IVA
  El IRPF
- **Contenido comunicativo**
  Pedir información
  Dar instrucciones
  Expresar obligación
  Dar referencias temporales
  Expresar desagrado y descontento
  Hablar por teléfono: estrategias para recibir llamadas
- **Contenido gramatical**
  Uso del subjuntivo: frases temporales
  Estilo indirecto: correspondencia temporal
- **Contenido léxico**
  Léxico relacionado con el sistema fiscal español y los impuestos
- **Correspondencia comercial**
  Albarán y factura: características

## ALGO DE VOCABULARIO SOBRE...

1 Busca en el diccionario o pregunta por el significado de los siguientes términos:

| | | | |
|---|---|---|---|
| *tasa* | *endoso* | *tributo* | *renta* |
| *exención* | *elusión* | *evasión* | *impuesto* |
| *deducción* | *gravamen* | *liquidación* | *contribución* |
| *declaración* | *patrimonio* | *inflacción* | *contribuyente* |

2 Ahora, intentad explicar, por grupos, al resto de la clase, lo que entendéis por dichos términos y haced una frase con cada uno de ellos.

3 Deduce, cuando sea posible, el infinitivo de las palabras anteriores.

4 A continuación, cada grupo elegirá una de las palabras aprendidas anteriormente y pensará en un dibujo u otro concepto o expresión relacionado con la/s palabra/s elegida/s. Después se lo enseñará a los otros grupos y éstos tendrán que adivinar de qué palabra/s se trata y justificarlo. Ganará el equipo que averigüe más palabras.

5 Existe una diferencia fundamental entre tasa e impuesto. En grupos, poned un ejemplo "real" que clarifique y diferencie dichos términos

TASA

IMPUESTO

6 Los **impuestos directos** *afectan a la renta o a la riqueza del ciudadano y son abonados individualmente al estado de forma directa.* Los **impuestos indirectos**, por el contrario, *afectan a las "manifestaciones de la renta",* por ejemplo, *los bienes de consumo.* ¿Podrías poner ejemplos que corroboren lo que son impuestos directos e indirectos? Después, coméntalo con el resto de tus compañeros(as).

7 Otra diferencia fundamental entre los **impuestos directos** e **indirectos** es *la posibilidad de que los indirectos sean abonados al Estado por un sujeto que no sea aquel al que el impuesto gravará realmente en última instancia.* ¿Podrías poner otro ejemplo que lo corrobore?

8 En la unidad 1 "Empresa y empresarios" apareció el término "*valor añadido*", ¿recuerdas en que consistía?

VALOR AÑADIDO

______________________________
______________________________
______________________________
______________________________
______________________________

9 El **IVA** *grava el valor añadido de un producto, es decir, el valor que dicho producto adquiere durante las fases de su elaboración.* ¿Qué significa todo esto? Pon un ejemplo para ilustrarlo y, después, coméntalo con el resto de la clase.

10 Ordena, alfabéticamente, todas las palabras aprendidas y escribe, al lado, su significado.

**PALABRAS APRENDIDAS**

______________________________
______________________________
______________________________
______________________________
______________________________
______________________________
______________________________
______________________________
______________________________
______________________________
______________________________

## LO QUE HAY QUE SABER SOBRE...

1 El **IVA** entró en vigor el 1 de enero de 1986 sustituyendo al **IGTE** (*Impuesto General sobre el Tráfico de las Empresas*) mucho más conocido como **ITE**. ¿Sabes en qué consistía? Recoged, por grupos/parejas, toda la información que podáis sobre dicho impuesto y, luego, comentadlo en clase.

2 Ordena la información que aquí se da sobre el **ITE** y después compárala con la información que habéis recogido.

> La aplicación del ITE era complicada para las exportaciones y las importaciones, en las que las fases de elaboración del producto no existía.
>
> Así pues, en el banco de pruebas del comercio internacional el ITE resultó inadecuado y se produjo la sustitución del ITE por un nuevo impuesto, el IVA. El ITE fue la víctima por excelencia de la reforma tributaria acaecida en España con motivo de su incorporación al Mercado Común, actualmente Unión Europea.
>
> El ITE gravaba el intercambio de bienes y la prestación de servicios y se aplicaba en todas las fases de elaboración y distribución del producto (desde el trigo a la harina, desde la harina al tahonero, del tahonero al consumidor); esta imposición en cascada hacía el tipo aplicable final mucho más elevado que el inicial y penalizaba los productos sometidos a varias fases de elaboración.
>
> Era necesario reembolsar el ITE a quien exportaba ya que si el exportador se hubiera tenido que endosar el ITE pagado, habría estado en desventaja respecto a los competidores extranjeros cuyos productos no eran gravados en la misma proporción.
>
> El famoso ITE era un impuesto que aseguraba unos ingresos considerables para el Estado, fue el rey de los impuestos indirectos y estuvo en vigor en España durante muchos años.

3 Lee el siguiente texto y formad grupos para contestar a las preguntas.

### *EL FUNCIONAMIENTO DEL IVA*

*Si se tuviese que pagar el impuesto sólo sobre el valor añadido, el contribuyente se vería obligado a calcular cada vez este valor añadido. En definitiva, para cada factura sería necesario saber cuánto ha costado el bien que se va a vender (o cuánto han costado los materiales y las materias primas necesarias para fabricarlo), calcular la diferencia con el precio de venta y sobre esta diferencia calcular el impuesto.*

*Una enorme complicación que se elimina con un sistema muy simple. Se trata de hacer pagar el impuesto en cada fase sobre el valor total de lo que se está vendiendo. Pero, cuando se trata de abonar al Estado todo el IVA recaudado así, se puede restar de él todo el IVA pagado sobre todas las compras. De esta manera, cada eslabón de la cadena paga el IVA sobre todo el valor de lo que compra y lo cobra sobre todo el valor de lo que vende, pero en unos plazos fijados abona al Estado la diferencia entre el IVA que ha cobrado y el que ha pagado. El consumidor, por el contrario, solamente paga y no puede cobrar el IVA a nadie, porque es el último eslabón de la cadena.*

*El impuesto sobre el valor añadido (IVA) corresponderá exactamente a un impuesto con el mismo tipo aplicable sobre el valor del producto terminado.*

a) Una vez leído el texto ¿qué conclusiones se pueden sacar?

______________________________________________
______________________________________________
______________________________________________
______________________________________________
______________________________________________

b) ¿Qué diferencia hay entre el IVA y el ITE?

______________________________________________
______________________________________________
______________________________________________
______________________________________________
______________________________________________

c) ¿Cómo funciona el IVA en tu país?

______________________________________________
______________________________________________
______________________________________________
______________________________________________
______________________________________________

d) ¿No sería más sencillo hacer pagar el impuesto una sola vez, en la última fase, sobre el valor total del bien terminado? Justifica tu respuesta.

______________________________________________
______________________________________________
______________________________________________
______________________________________________
______________________________________________

4 El **IVA** *es un impuesto indirecto que grava la renta en sus manifestaciones, es decir, en el momento en que ésta es gastada.* Por consiguiente, es justo que el impuesto sea pagado en su totalidad por el consumidor, por el que compra el producto, que es el destinatario natural de ese bien y, por lo tanto, del impuesto que deriva de él. ¿Estás de acuerdo?, ¿por qué? Pon un ejemplo.

5 El impuesto del **IVA** se caracteriza por su neutralidad y por su transparencia ¿por qué? Da una explicación a esa neutralidad y transparencia.

## LO QUE SE DICE SOBRE...

1 Dividid la clase en tres grupos, cada grupo leerá un texto y, después, os intercambiaréis la información.

### *¿QUÉ ES EL IRPF?*

*a) El IRPF es el impuesto que grava las rentas obtenidas por las personas físicas. El impuesto debe ser pagado tanto por las personas físicas que residan en España, como por aquellas otras que pese a no residir en este país obtengan ingresos producidos en territorio español. También están sometidas al IRPF las herencias yacentes, comunidades de bienes y determinadas entidades señaladas en la ley.*

*El mecanismo de cálculo del impuesto es muy simple. Se comienza calculando los ingresos, se restan los gastos deducibles, se calcula el impuesto en base a unas tablas de referencia y se restan las deducciones que procedan.*

*Como antes se indicaba, el impuesto a pagar se calcula sobre la renta total neta, es decir, sobre el total de los ingresos de cada persona en particular, pero después de haber restado los gastos en los que ha sido necesario incurrir para obtener dichos ingresos, éstos son los gastos deducibles, es decir cantidades que se descuentan de los ingresos para determinar la renta neta que va a resultar gravada por el impuesto. Estos gastos son muy variados, dependiendo del tipo de rendimiento al que estén referidos.*

*b) En todo caso conviene señalar que no todos los gastos que son necesarios para la obtención de los ingresos que están sometidos al IRPF resultan en todas las ocasiones fiscalmente deducibles; de hecho, cada día resulta más frecuente el establecimiento de determinados límites que imposibilitan la deducibilidad de gastos necesarios.*

*La deducciones son, asímismo, detracciones que puede realizar el sujeto pasivo pero, a diferencia de los gastos deducibles (que se restan de los ingresos), aquéllas se restan del impuesto previamente calculado.*

*Las deducciones de la cuota permiten rebajar la carga fiscal, bien sea porque se tiene una renta baja, o porque se tienen descendientes o familiares dependientes, o incluso porque se han realizado determinadas inversiones tipificadas con derecho a deducción.*

*c) En todo caso las deducciones junto con la progresividad del impuesto son dos elementos que tratan de garantizar la equidad fiscal del impuesto.*

*Por último, hay que referirse a los rendimientos íntegros obtenidos (que pueden ser, entre otros, del trabajo, del capital, de actividades empresariales, etc), de los que se detraen los gastos fiscalmente deducibles obteniendo de dicha operación la Base Imponible.*

*A la Base imponible obtenida se le pueden aplicar unas determinadas reducciones que se establecen por ley (por ejemplo, las aportaciones a Planes de Pensiones, etc.) con lo que se obtiene la Base liquidable. Sobre la Base liquidable se calcula el impuesto bruto de acuerdo a una escala de gravamen (es la denominada Cuota Integra). A dicha Cuota Integra se le restan seguidamente las deducciones establecidas por la Ley y se obtiene la Cuota Líquida, que no es, ni más ni menos, que el impuesto neto que corresponde pagar en un determinado año.*

Ahora contesta a las siguientes preguntas.

a) ¿Qué es el IRPF?

b) ¿En qué consisten los gastos deducibles? ¿Y las deducciones?

c) ¿Qué diferencia hay entre los gastos deducibles y las deducciones?

d) ¿Cómo se obtiene la Base Imponible?

e) ¿Cómo se obtiene la Base Liquidable?

f) ¿Cómo se obtiene la Cuota Íntegra?

g) ¿Cómo se obtiene la Cuota Líquida?

______________________________________________

______________________________________________

______________________________________________

h) ¿En qué consiste la Cuota Líquida?

______________________________________________

______________________________________________

______________________________________________

2 Escucha el texto y después coméntalo a partir de las siguientes tablas de retenciones por IRPF.

**Retenciones para este año en el IRPF (en porcentajes)**

| Importe rendimiento anual (en pesetas) | Número de hijos y otros descendientes | | | | | | | | |
|---|---|---|---|---|---|---|---|---|---|
| | 0 | 1 | 2 | 3 | 4 | 5 | 6 | 7 | 8+ |
| Hasta 1.210.000 | 0 | 0 | 0 | 0 | 0 | 0 | 0 | 0 | 0 |
| Más de 1.210.000 | 3 | 1 | 1 | 0 | 0 | 0 | 0 | 0 | 0 |
| Más de 1.320.000 | 6 | 4 | 3 | 1 | 0 | 0 | 0 | 0 | 0 |
| Más de 1.430.000 | 7 | 6 | 4 | 3 | 1 | 1 | 1 | 0 | 0 |
| Más de 1.540.000 | 8 | 7 | 5 | 3 | 3 | 2 | 1 | 1 | 0 |
| Más de 1.760.000 | 10 | 9 | 7 | 6 | 5 | 4 | 3 | 1 | 0 |
| Más de 1.980.000 | 12 | 11 | 10 | 9 | 8 | 6 | 5 | 4 | 0 |
| Más de 2.000.000 | 14 | 13 | 12 | 11 | 10 | 8 | 7 | 6 | 1 |
| Más de 2.420.000 | 15 | 14 | 13 | 12 | 11 | 10 | 8 | 7 | 3 |
| Más de 2.750.000 | 17 | 15 | 15 | 14 | 13 | 12 | 11 | 9 | 5 |
| Más de 3.080.000 | 18 | 17 | 16 | 15 | 14 | 13 | 13 | 12 | 7 |
| Más de 3.520.000 | 19 | 18 | 17 | 17 | 16 | 15 | 14 | 14 | 9 |
| Más de 3.960.000 | 20 | 19 | 19 | 18 | 17 | 17 | 16 | 15 | 11 |
| Más de 4.400.000 | 21 | 20 | 20 | 20 | 19 | 19 | 18 | 17 | 11 |
| Más de 5.060.000 | 23 | 22 | 22 | 21 | 21 | 20 | 19 | 18 | 14 |
| Más de 5.720.000 | 25 | 24 | 24 | 23 | 23 | 22 | 21 | 20 | 16 |
| Más de 6.600.000 | 26 | 25 | 25 | 24 | 24 | 24 | 23 | 22 | 19 |
| Más de 7.700.000 | 28 | 27 | 27 | 26 | 25 | 25 | 25 | 25 | 22 |
| Más de 8.800.000 | 31 | 30 | 30 | 29 | 28 | 28 | 28 | 27 | 23 |
| Más de 9.900.000 | 33 | 32 | 32 | 31 | 31 | 30 | 30 | 29 | 25 |
| Más de 11.000.000 | 35 | 34 | 34 | 34 | 33 | 33 | 32 | 32 | 31 |
| Más de 13.200.000 | 38 | 37 | 37 | 37 | 37 | 36 | 36 | 36 | 34 |
| Más de 15.400.000 | 41 | 40 | 40 | 40 | 40 | 39 | 38 | 38 | 36 |
| Más de 17.600.000 | 44 | 42 | 42 | 42 | 42 | 41 | 40 | 40 | 38 |
| Más de 19.800.000 | 46 | 45 | 45 | 45 | 44 | 44 | 44 | 44 | 43 |
| Más de 22.000.000 | 47 | 46 | 46 | 46 | 46 | 46 | 46 | 45 | 45 |

3 Ahora explica la tabla de retenciones por IRPF para parados (desempleados) y compárala con la anterior. ¿Qué conclusiones puedes sacar?

**IRPF para los parados**

| Importe rendimiento anual (en pesetas) | | | % |
|---|---|---|---|
| Hasta | | 1.210.000 | **0** |
| Más | de | 1.210.000 | **1** |
| Más | de | 1.320.000 | **4** |
| Más | de | 1.430.000 | **6** |
| Más | de | 1.540.000 | **7** |
| Más | de | 1.760.000 | **9** |
| Más | de | 1.980.000 | **11** |

CONCLUSIONES

______________________________
______________________________
______________________________
______________________________
______________________________
______________________________
______________________________
______________________________
______________________________
______________________________

4 Imagina que trabajas en el Ministerio de Hacienda, en el departamento de Obligaciones tributarias y, continuamente, estás recibiendo llamadas sobre los trámites a seguir, formas de pago, vencimiento, reducciones, etc. En parejas preparad y simulad una conversación telefónica, teniendo en cuenta esa situación y atendiendo a las siguientes estrategias.

**ESTRATEGIAS PARA LLAMAR (CONTRIBUYENTE)**

ANTES DE LLAMAR

* Reúne toda la información necesaria acerca de la persona a la que vas a llamar: número de teléfono y extensión, nombre y cargo, etc.

* Organiza toda la información que tienes que dar durante tu llamada: expedientes, nombres, direcciones, números de teléfono, etc.

* Intenta prever las preguntas que puede hacerte la persona a la que llamas por teléfono: ¿quién?, ¿qué?, ¿cómo?, ¿dónde?, ¿por qué?, ¿a qué hora?, etc.

AL TELÉFONO

* Di tu nombre y el nombre de la empresa para la que trabajas. Explica la razón de tu llamada y da el nombre de la persona con la que quieres hablar o pregunta quién puede ayudarte.

* Utiliza la información que has preparado anteriormente.

* No olvides utilizar frases corteses del tipo: le agradecería que me mandara lo antes posible..., ¿le importaría mandarme la información...?

**ESTRATEGIAS PARA RECIBIR LLAMADAS (DPTO. DE OBLIGACIONES)**

ANTES DE RECIBIR LA LLAMADA

1. Piensa en el trabajo que desempeñas y elabora una lista con el tipo de llamadas que recibes, lo que haces, es decir, como actúas y quién puede, en tu departamento, ayudarte a resolver el problema que se te presenta.

2. Piensa en todos los detalles sobre las llamadas que recibes y haz una lista con todas las posibles preguntas: ¿qué?, ¿quién?, ¿cómo?, ¿con qué frecuencia?, ¿cuánto tiempo? ...

AL TELÉFONO

1. Contesta al teléfono de forma agradable. Preséntate y presenta a la empresa o departamento para el que trabajas.

2. La persona que llama se identificará y dirá el motivo de su llamada, tú deberás ponerle con la persona o departamento que quiere contactar o le darás la información que desee obtener.

## LO QUE SE ESCRIBE SOBRE...

**1** Haced, por parejas, una encuesta por distintos comercios y empresas sobre el significado de *albarán* y *factura*. Anotad su significado y, después, comentadlo con el resto de la clase.

ALBARÁN:

______________________________________________

______________________________________________

______________________________________________

FACTURA:

______________________________________________

______________________________________________

______________________________________________

**2** Observa estos ejemplos de *albarán* y *factura* y escribe y comenta las diferencias que hay entre ellos.

Factura: 3.124
Fecha: 15/4/97

Nombre: Miguel A. Aquilino
Domicilio: Bordadores, 5
D.N.I./C.I.F.: 12.124.974

| DESCRIPCIÓN | UNID. | PRECIO | IVA | IMPORTE |
|---|---|---|---|---|
| | | | | |
| | | | | |
| | | | | |
| | | | | |
| | | | | |
| | | | | |
| | | | | |
| | | | | |
| | | | | |
| | | | TOTAL (IVA INCLUIDO) | |

Albarán: 54.123/97
Fecha: 19/6/97

Nombre: Miguel A. Aquilino
Domicilio: Bordadores, 5

| DESCRIPCIÓN | UNID. | PRECIO | IMPORTE |
|---|---|---|---|
| | | | |
| | | | |
| | | | |
| | | | |
| | | | |
| | | | |
| | | | |
| | | | |
| | | | |

FACTURA:

______________________________

______________________________

______________________________

ALBARÁN:

______________________________

______________________________

______________________________

3 Ahora explica lo que entiendes por *albarán* y *factura* y compáralo con el significado que da el diccionario. ¿Cuál es la definición que te parece más exacta?, ¿por qué?

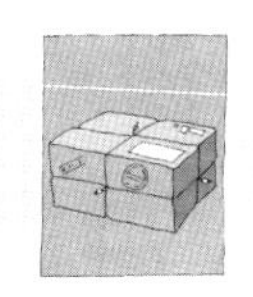

## TAREA FINAL

1 ¿Qué trámites hay que seguir para cumplir con las obligaciones tributarias del Estado Español? Infórmate de cada uno de los pasos a seguir y después coméntalo en clase.

2 Imagina, ahora, los ingresos anuales de tu empresa, gastos deducibles, etc. y cumple con las obligaciones tributarias del Estado Español. No olvides justificar cada uno de los pasos que has seguido.

## APUNTE. PROYECTO EN... ESPAÑOL COMERCIAL

Tasa

Impuesto

Valor añadido

ITE

IVA

IRPF

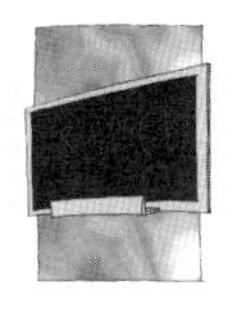

## FUNCIONES

✔ Pedir información.

*¿**Podría** explicarme qué trámites tengo que seguir?*
***Le agradecería** que me enviaran información relativa a...*

✔ Dar instrucciones.

***Cuantifica** las cantidades entregadas en concepto de IVA en el año anterior*
***No olvides** los comprobantes de las entregas correspondientes*

✔ Expresar obligación.

***Hay que** cumplir con las obligaciones tributarias*
***Tenemos que** hacer la declaración anual del IVA*

✔ Referencias temporales.

***Cuando** un ciudadano abona una cantidad por un servicio concreto, paga una tasa*
***Al finalizar** el año el ciudadano deberá pagar sus impuestos*

✔ Expresar desagrado, descontento.

***Me molesta que** la ley del IVA **tenga** que modificarse y que sea más restrictiva*
***No me agrada que se discuta** sobre los ingresos públicos*

TAREA: Pide información de cómo funciona el IVA en Europa y después comenta en clase a qué está obligado el importador y el exportador para pasar y permitir los controles.

## CONTENIDOS GRAMATICALES

USO DEL SUBJUNTIVO EN FRASES TEMPORALES: cuando + Indicativo/subjuntivo.

✎ Cuando, cada vez que, siempre que, hasta que, mientras + Indicativo.
- Utilizamos esta estructura para referirnos a una acción habitual o pasada.

***Cuando** un ciudadano **abone** una cantidad por un servicio concreto, paga una tasa*

✎ Cuando, cada vez que, siempre que, hasta que, mientras + Subjuntivo.
- Utilizamos esta estructura para referirnos a una acción futura.

***Cuando** un ciudadano **abone** una cantidad por un servicio concreto, pagará una tasa*

✎ Al, antes de, después de nada más + Infinitivo.

***Al finalizar** el año el ciudadano deberá pagar sus impuestos*

✎ Antes de que + Subjuntivo

***Antes de que finalice** el año el ciudadano deberá pagar sus impuestos*

ESTILO INDIRECTO: correspondencia verbal

➡ Transmitir lo que ha dicho otra persona.

✎ Cuando el verbo introductor es un indefinido (dijo), un imperfecto (decía) o un pluscuamperfecto (había dicho), hay que tener en cuenta la siguiente correspondencia verbal:

| Estilo directo | Estilo indirecto |
| --- | --- |
| | dijo / decía / había dicho: |
| "El IVA **es** un impuesto indirecto" | que **era** un impuesto indirecto |
| "El ITE **aseguraba** unos ingresos" | que **aseguraba** unos ingresos |
| "El IVA **entró** en vigor en el 86" | que **había entrado** en vigor en el 86 |
| "Hacienda **ha reducido** en un 2´7% las retenciones" | que Hacienda **había reducido** en un 2´7% las retenciones |
| "La aplicación del ITE **había sido** complicada" | que **había sido** complicada |
| "La nueva tabla de retenciones **entrará** en vigor en febrero" | que **entraría** en vigor en febrero |

➡ Transmitir órdenes, mandatos, consejos, peticiones...

✎ Cuando el verbo introductor es un presente (dice), un pretérito perfecto (ha dicho) o un futuro (dirá), la correspondencia verbal en estilo indirecto es siempre en **presente de subjuntivo:**

| Estilo directo | Estilo indirecto |
| --- | --- |
| | dice / ha dicho/ dirá: |
| "**Cumplid** como contribuyentes" | que **cumplamos** como contribuyentes |
| "No **olvidéis** pagar las tasas" | que no **olvidemos** pagar las tasas |

✎ Cuando el verbo introductor es un indefinido (dijo), un imperfecto (decía) o un pluscuamperfecto (había dicho), la correspondencia verbal en estilo indirecto es siempre en **imperfecto de subjuntivo**:

| Estilo directo | Estilo indirecto |
| --- | --- |
| | dijo / decía / había dicho: |
| "**Cumplid** como contribuyentes" | que **cumplieramos** como contribuyentes |
| "No **olvidéis** pagar las tasas" | que no **olvidarámos** pagar las tasas |

# Unidad 6

# Bancos y finanzas

- **Objetivo: negociar un préstamo**
- **Contenido temático**
  Activo real y activo financiero
  Intermediarios financieros
  Operaciones transnacionales
  Comisiones bancarias
- **Contenido comunicativo**
  Dar consejos y hacer recomendaciones
  Hacer apreciaciones y juicios de valor
  Expresar temor, duda
  Hablar por teléfono: pedir información sobre créditos
- **Contenido gramatical**
  Uso del subjuntivo: expresiones de certeza y de valoración
- **Contenido léxico**
  Léxico relacionado con los bancos y el mundo de las finanzas
- **Correspondencia comercial**
  Cheque, transferencia y pagaré: características y requisitos

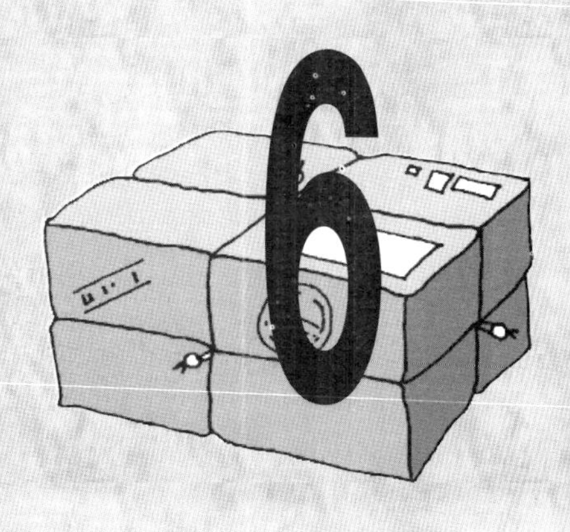

## ALGO DE VOCABULARIO SOBRE...

1 Dividid la clase en grupos y buscad en el diccionario o preguntad por el significado de los siguientes términos.

Activo real
Activo financiero
Pasivo financiero

2 Después cada miembro del grupo explicará al resto lo que ha entendido y pondrá un ejemplo.

Activo real

________________________________________
________________________________________
________________________________________

Activo financiero

________________________________________
________________________________________
________________________________________

Pasivo financiero

________________________________________
________________________________________
________________________________________

3 Ahora elige uno de los siguientes textos y comprueba si coincide con lo que anteriormente dijiste.

*a) Así pues, los activos financieros son reconocimientos de deudas: si son a favor del sujeto económico considerado, figura en su activo; y, si son contraidos por él, figuran en su pasivo (pasivos financieros). Dicho con otras palabras, los activos financieros que posee un sujeto económico en un momento determinado representan el saldo actualizado de la financiación que ha concedido hasta ese momento a otras personas o entidades; en cambio los pasivos financieros de un sujeto económico indican el importe actualizado de la financiación ajena que ha recibido.*

*b) Los componentes del segundo grupo, los activos financieros, apenas tienen algún valor intrínseco, no obstante se valoran por lo que representan. Así un billete de banco, por ejemplo, por alto que sea su valor (y, por lo tanto, la capacidad de com-*

*pra que incorpora), en sí no pasa de ser un trozo de papel. Algo parecido sucede con una acción, que representa parte de la propiedad de una empresa; o con un título de deuda pública, que representa un préstamo al Estado.*

*c) Conviene distinguir dos grandes grupos. El primero, el de los activos reales, incluye los bienes que tienen valor por sí mismos, por ejemplo la vivienda, el coche o los muebles.*

*d) Por su parte, las deudas de la familia también están representadas por activos financieros que figurarán en su pasivo. Por ejemplo, si la familia ha comprado la vivienda con ayuda de un préstamo hipotecario, habrá firmado la correspondiente póliza y en el pasivo figurará lo que todavía deba. Para simplificar, los activos financieros que figuran en el pasivo de un sujeto económico son sus pasivos financieros.*

4 ¿Puedes ordenar la información de los textos anteriores y elaborar un único texto? Coméntalo y saca las conclusiones oportunas.

Conclusiones: Activos reales - Activos financieros

________________________________________
________________________________________
________________________________________
________________________________________
________________________________________

5 Los gráficos siguientes representan la diferencia entre la variación de pasivos financieros y la variación de activos financieros en los diferentes sectores de la economía española, durante el período de 1981-1991, del ahorro financiero neto. En parejas, comentad dichos gráficos utilizando el vocabulario que ya conocéis.

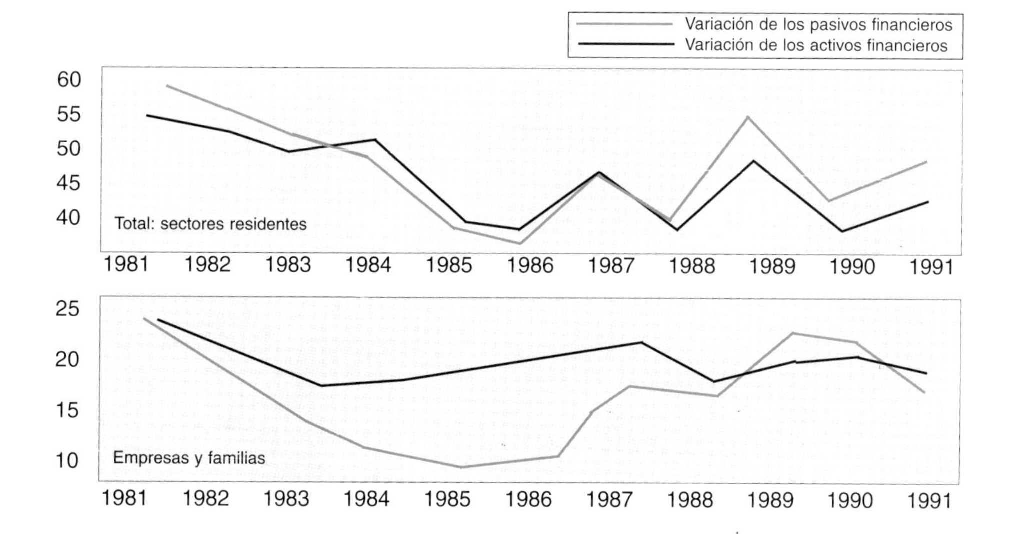

6 Lee los siguientes textos y después explica a tus compañeros(as) lo que entiendas por: *renta, ahorro, desahorro, capacidad de financiación, necesidad de financiación, gastos de consumo, inversión, sector.*

*a) Denominamos renta a los ingresos que un sujeto recibe en un período de tiempo determinado. El origen de estos ingresos es variado: en el caso de una familia pueden surgir del trabajo de sus componentes o de la rentabilidad de algunos de sus activos financieros (dinero depositado en bancos, deuda pública y acciones).*

*b) Con los ingresos, el sujeto económico ha de hacer frente, en primer lugar, a sus gastos de consumo. En el caso de la familia, estos gastos incluyen alimentación, vestido, ocio, transportes, menaje doméstico, etc.*

*c) La parte de la renta no consumida de esta forma recibe el nombre de ahorro; en el caso de que éste sea positivo, supone un incremento de la riqueza del sujeto considerado.*

*d) Si la renta no es suficiente para cubrir el consumo, se produce un desahorro que disminuye la riqueza del sujeto, bien sea mediante disminución de sus activos, reales o financieros (la familia puede verse obligada a vender el coche o la deuda pública que poseía), o mediante el aumento de sus pasivos financieros (si parte del consumo se financia pidiendo créditos).*

*e) Con el ahorro, que en lo sucesivo consideramos positivo, cada unidad económica ha de hacer frente a las inversiones que desea realizar. Así, por ejemplo, las familias pueden invertir en la adquisición de viviendas.*

*f) El valor de las inversiones que se van a realizar durante un período determinado no tiene por qué coincidir con el ahorro generado en el mismo. Cabe, por tanto, que el ahorro sea superior a la inversión y que, una vez realizada ésta, todavía haya ahorro excedente, es decir capacidad de financiación.*

*g) Cabe, por el contrario, que el ahorro sea insuficiente para hacer frente a la inversión y que el sujeto en cuestión tenga necesidad de financiación. Lo mismo se puede decir si consideramos grupos de sujetos, como el conjunto de las familias o de las empresas (lo que a partir de ahora llamaremos un sector).*

Renta:

________________________________________

________________________________________

Ahorro:

________________________________________

________________________________________

Desahorro:

________________________________________

________________________________________

Capacidad de financiación:

Necesidad de financiación:

Gastos de consumo:

Inversión:

Sector:

**7** En los textos anteriores se daba un ejemplo de *renta, gastos de consumo e inversión* en las familias. ¿Podrías dar un ejemplo de *renta, gastos de consumo e inversión* en la empresa?

Ejemplo de renta en la empresa:

Ejemplo de gastos de consumo en la empresa:

Ejemplo de inversión en la empresa:

**8** Teniendo en cuenta el texto leído anteriormente, contesta las siguientes preguntas:

a) ¿Qué puede hacer una familia (sujeto) o un sector (empresa) ahorrador para colocar su ahorro excedente con la máxima rentabilidad, seguridad y liquidez?

b) ¿Y si existe déficit de ahorro?

c) En grupos, dad ejemplos que lo ilustren

9 Aquí tienes algunos términos que pueden ser de gran utilidad al hacer operaciones bancarias. Formad dos grupos, id a un banco y preguntad por el significado de dichos términos, escribidlos en un papel y después intercambiadlos.

| GRUPO A | GRUPO B |
| --- | --- |
| • extracto | • cheque |
| • ingresar | • interés |
| • portador | • préstamo |
| • crédito | • talón |
| • aval | • debe |
| • sucursal bancaria | • haber |
| • libreta de ahorro | • cuenta corriente |
| • abrir una cuenta | • pagaré |

Finalmente, cada grupo hará una frase con los términos que tiene y se lo enseñará al grupo contrario, éste (el grupo) decidirá si se han entendido los términos.

10 Ordena, alfabéticamente, todas las palabras aprendidas y escribe, al lado, su significado.

**PALABRAS APRENDIDAS**

# LO QUE HAY QUE SABER SOBRE...

1 Lee el siguiente gráfico y comenta la capacidad/necesidad de financiación de la economía española durante el período de 1965-1990. En el gráfico los valores positivos deben interpretarse como capacidad de financiación de la economía española, mientras que los valores negativos representan la necesidad de financiación.

Indica los efectos negativos sobre la balanza de pagos que representaron las dos crisis del petróleo.

2 Relaciona las funciones del sistema financiero (columna A) con el contenido de dichas funciones (columna B).

**COLUMNA A**

a) Fomento de ahorro
b) Estabilidad monetaria
c) Solvencia de las instituciones
d) Variedad de activos financieros
e) Eficaz asignación de los recursos
f) Bajo coste de intermediación

**COLUMNA B**

1. El precio de la financiación obtenida (tipo de interés) tiene dos componentes: la remuneración del ahorro y el coste del trasvase de los fondos (coste de intermediación). Por lo tanto, es evidente que, retribuyendo adecuadamente el ahorro, una vía para abaratar la financiación es reducir el coste de intermediación mediante el estímulo de la competencia, la diversificación de los flujos financieros y el fomento de los mercados financieros directos.
2. Diversas combinaciones de rentabilidad y plazos que estimulen la movilización del ahorro.
3. Evita quiebras, suspensiones de pagos y otras situaciones traumáticas para la circulación financiera.
4. Puesto que el ahorro es un bien escaso, es fundamental distribuirlo de forma que se garantice financiación suficiente a los sectores susceptibles de crear más riqueza, de generar más empleo o que gocen de alguna otra prioridad.
5. Salvaguarda debidamente el valor del dinero.
6. Su existencia en cantidad suficiente facilita el cumplimiento de las demás funciones.

**3** El eficaz cumplimiento de las funciones anteriores discurre a través de dos cauces directamente relacionados con la política económica: la política monetaria y la política financiera. ¿Qué funciones le corresponderán a cada uno de ellos?

Política monetaria.

______________________________

______________________________

______________________________

______________________________

Política financiera.

______________________________

______________________________

______________________________

______________________________

**4** Los ahorros no van siempre directamente del ahorrador a quien necesita la financiación. A menudo pasan por los *intermediarios financieros*: los bancos y otras entidades que captan ahorro para volver a prestarlo.

El Sistema Financiero Español (SFE) lo integran el conjunto de intermediarios financieros. Éstos pueden ser: los Intermediarios bancarios –que tienen capacidad para crear dinero–, y los Intermediarios no bancarios –que no tienen dicha capacidad–.

Teniendo en cuenta esto, lee los siguientes textos, donde aparecen los distintos intermediarios financieros y clasifícalos en bancarios y no bancarios.

*• Las cooperativas de crédito: pueden tener su origen en otro tipo de cooperativas. Prestan al sector público, a bancos privados y al público. Las que actúan en el sector agrario se denominan Cajas Rurales.*

*• El Banco de España: concede financiación a otros países cuando compra divisas; al sector público, a través de los créditos que concede al Tesoro o adquiriendo Títulos Públicos, y a otros intermediarios financieros mediante distintos tipos de crédito. No suele trabajar con particulares ni empresas. Para financiar estas inversiones emite billetes y moneda legales y admite depósitos de los intermediarios financieros y del sector público.*

*• Las compañías aseguradoras (sociedades o mutuas): su activo financiero lo constituyen las pólizas suscritas. Su pasivo se genera a través de las indemnizaciones en caso de producirse siniestros. Para hacer frente a éstos, estas compañías constituyen elevadas reservas mediante inversiones en títulos de renta fija privados o públicos.*

*• Los fondos de pensiones o mutualidades: tienen por objeto complementar o suplir las pensiones de la Seguridad Social. Los asociados hacen aportaciones durante su vida laboral activa, que percibirán después de su jubilación. Sus fondos suelen estar invertidos en títulos a largo plazo.*

*• La banca privada: una parte de sus fondos los mantienen para cubrir los coeficientes obligatorios y con otra financian créditos al sector privado. Otra parte también está destinada a financiar al sector público mediante la compra voluntaria u obligatoria de títulos públicos a corto o largo plazo. Los fondos los obtienen por los depósitos y emisión de títulos de renta fija o variable.*

*• Los bancos oficiales: financian generalmente a medio y largo plazo a los sectores que el gobierno considera prioritarios. Los recursos los obtienen mediante dotaciones presupuestarias o por emisión de títulos de renta fija.*

*• Las entidades de "leasing": se dedican al arrendamiento financiero en especial; así, ceden al cliente bienes de equipo e inmuebles a cambio de una cuota periódica. Al final el cliente tiene opción de adquirirlo por un precio residual.*

*• Las entidades de "factoring": anticipan fondos a sus clientes a cambio de la cesión de sus deudas comerciales, cuyo cobro se gestiona y se garantiza. Se financian emitiendo títulos de renta fija y con créditos a otras instituciones.*

*• Las Cajas de ahorro: no son sociedades y, por tanto, no tienen socios ni reparten beneficios, solo poseen un fondo social a través del que financian multitud de obras sociales. Por otro lado, la relativa estabilidad de sus pasivos permite conceder préstamos a más largo plazo en mayor proporción que los bancos.*

*• Las sociedades de garantía recíproca: son asociaciones de pequeñas y medianas empresas cuyos créditos para inversiones están respaldados por el resto. El sector público participa como socio protector.*

*• Las sociedades mediadoras en el mercado de dinero: están especializadas en la gestión de activos de alta liquidez (pagarés del Tesoro, certificados de depósito en el Banco de España). Si ponen en contacto a compradores y vendedores se llaman "brokers" y si compran y emiten activos financieros se llaman "dealers".*

*• Las sociedades y fondos de inversión mobiliaria: las sociedades obtienen sus recursos mediante la emisión de acciones. Estos recursos los invierten en renta fija o variable. De esta forma se puede facilitar al pequeño ahorrador su participación en el mercado de valores. Los fondos de inversión captan los recursos mediante la emisión de certificados de participación que representan una parte del patrimonio, variando éste según las fluctuaciones del valor de los títulos en el mercado.*

| BANCARIOS | NO BANCARIOS |
| --- | --- |
| ______________________ | ______________________ |
| ______________________ | ______________________ |
| ______________________ | ______________________ |
| ______________________ | ______________________ |
| ______________________ | ______________________ |
| ______________________ | ______________________ |

5 Una vez clasificados haz un diagrama, esquema u organigrama que incluya a los intermediarios bancarios y no bancarios del Sistema Financiero Español (SFE).

6 ¿Qué recuerdas de los Intermediarios Financieros? Elaborad, por grupos, tarjetas como las siguientes y haced un examen al resto de los grupos, para comprobar lo que recuerdan. Cada grupo elegirá dos intermediarios financieros, si los intermediarios elegidos coinciden en algún grupo, éste tendrá ventaja y podrá aprobar casi con toda seguridad el examen.

BANCO DE ESPAÑA

¿A quién concede financiación?

______________________________

______________________________

¿Cómo financia las inversiones?

______________________________

______________________________

## LO QUE SE DICE SOBRE...

**1** Escucha el siguiente texto y contesta a las preguntas con Verdadero (V) o Falso (F).

### OPERACIONES TRANSNACIONALES

a) Al conjunto de operaciones bancarias con residentes en divisas se les llama operaciones transnacionales.

V ❑ F ❑

b) Las operaciones transnacionales constituyen el 95% del total de operaciones bancarias.

V ❑ F ❑

c) No es lo mismo banca internacional que banca extranjera.

V ❑ F ❑

d) La banca extranjera no opera con bancos extranjeros de un país en la que tienen una filial.

V ❑ F ❑

**2** Contesta a las siguientes preguntas.

¿En qué consisten las comisiones?

___

___

___

¿Son muy altas las comisiones de los bancos y las cajas de ahorro en tu país?

___

___

___

¿Qué piensas de esta vía de ingresos por parte de los bancos y cajas de ahorros?

___

___

___

**3** Escucha el siguiente texto y contesta. ¿Qué nos aconsejan los expertos a la hora de negociar un préstamo con el banco?

CONSEJOS

______________________________________________

______________________________________________

______________________________________________

______________________________________________

______________________________________________

**4** Escucha las siguientes afirmaciones hechas por los responsables de los bancos sobre las comisiones y coméntalo en clase. Después, anota las conclusiones a las que lleguéis organizando un debate; un grupo estará de acuerdo con las comisiones y el otro no.

COMISIONES BANCARIAS: CONCLUSIONES

______________________________________________

______________________________________________

______________________________________________

______________________________________________

______________________________________________

**5** En parejas, id a un banco o caja de ahorros y preguntad que tipo de comisiones se cobran por:

- Cobro de efectos ______________________
- Pago de recibos ______________________
- Negociación o compensación de cheques ______________________
- Adeudo de domiciliaciones ______________________
- Cesión de recibos ______________________
- Nóminas ______________________
- Transferencias ______________________
- Giros ______________________
- Otras ______________________

______________________________________________

Después, toda la clase comparad la información y sacad las conclusiones.

CONCLUSIONES

______________________________________________

______________________________________________

______________________________________________

______________________________________________

______________________________________________

6 Teniendo en cuenta las estrategias para llamar y recibir llamadas (lección 5), formad parejas y resolved la siguiente situación: llamáis por teléfono a un banco para pedir información sobre los créditos que ofrecen y sus características porque queréis montar una empresa.

## LO QUE SE ESCRIBE SOBRE...

1 Relaciona los siguientes términos bancarios con su definición.

a. cheque •
b. trasferencia •
c. pagaré •

• 1. Papel de obligación por una cantidad que ha de pagarse a tiempo determinado.
• 2. Documento de pago que permite al titular de una cuenta corriente bancaria disponer del dinero que tiene depositado en ésta.
• 3. Operación bancaria por la que se transfiere una cantidad de una cuenta bancaria a otra.

2 Elegid, por parejas, uno de los documentos bancarios anteriores y buscad todo tipo de información relacionada con dicho documento. Después explicádselo a vuestros(as) compañeros(as), no olvidéis hablar de las características y requisitos necesarios.

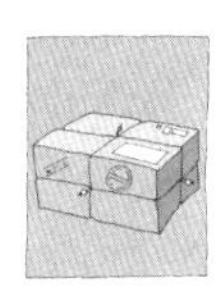

# TAREA FINAL

1 ¿Cómo negociar un préstamo? Formad dos grupos y leed, cada grupo, uno de los textos siguientes y sacad conclusiones. Después, comentad la información que tenéis con el otro grupo. ¿A qué conclusiones llegáis?

***LAS TRAMPAS DEL MÁRKETING***

- *El tipo de gancho: En los créditos hipotecarios a tipo variable las entidades suelen ofrecer un tipo de interés muy bajo para el primer año. Sin embargo al revisar el crédito, el tipo de interés aumenta varios puntos.*

- *Comisión de apertura: Algunos bancos ofrecen tipos de interés menores pero su comisión de apertura es superior a la media, con lo que al final, el coste viene a ser más o menos el mismo o incluso mayor.*

***¿INTERÉS FIJO O VARIABLE?***

*Lo primero que se plantea la persona que pide un préstamo hipotecario es si lo escoge con un tipo de interés fijo o variable. El interés fijo asegura que durante toda la vida del préstamo se va a pagar la misma cuota, pero se corre el riesgo de que el precio del dinero baje y se termine pagando un precio mucho más alto que los demás por el mismo préstamo. Algunos dicen que no hay un buen consejo para la elección ya que, aunque ahora estamos en un escenario de tipos a la baja, en un plazo de veinte o quince años nadie puede adivinar lo que ocurrirá. Otros admiten que aunque se ofrece un tipo de interés fijo cuando se solicita, los directores de las sucursales explican a sus clientes que el interés fijo en algún momento resultará desfavorable para la entidad o para el cliente, por lo que siempre habrá alguien incómodo. Para evitar este sentimiento, se aconseja pactar un tipo variable. ¿Cómo evitar la incertidumbre de que una subida de tipos aumente la cuota a pagar mensualmente? La mayoría de los bancos ofrece préstamos de cuota fija a interés variable en los que si suben los tipos se alarga el plazo a pagar y si bajan se acorta. Otra modalidad son los préstamos mixtos, en los que durante algunos años se paga un interés fijo y después se renegocia.*

2 Para poder negociar un préstamo hay que estar bien informado del producto y de las posibilidades a negociar. A continuación os presentamos cómo descifrar la letra pequeña de las ofertas de los bancos. Por grupos comentad los esquemas que se dan y decidid, pensando en vuestra empresa, con quién queréis negociar el préstamo y justificadlo.

## LA LETRA PEQUEÑA DE LA OFERTA HIPOTECARIA

| Entidad | Interés variable: Tipo de interés nominal (%) 1.er año | Resto | Plazo máx. amortización (años) | % máximo de financiación de la vivienda | Comisiones (%) Apertura | Amortiz. y cancelación antic. | Interés fijo: Tipo de interés nominal (%) | Plazo máx. amortización (años) | % máximo de financiación de la vivienda | Comisiones(%) Apertura | Amortiz. y ca celación ant |
|---|---|---|---|---|---|---|---|---|---|---|---|
| SANTANDER | 7,40 | Mibor + 1,75 | 30 | 80 | 2 | 1 | 9,50 | 12 | 80 | 2 | 4 |
| BANESTO | 7,50 | Mibor + 2 | 30 | 90 | 2 | 1 | 9,5 | 10 | 90 | 2 | 4 |
| BCH | 7,50 | Mibor + 2 | 25 | 80 | 2,5 | 1 | 9,25 | 12 | 80 | 2,5 | 4 |
| BILBAO VIZCAYA | 8 | Mibor + 2 | 30 | 80 | 1,5 | 1 | 9,95 | 20 | 80 | 2 | 4 |
| ARGENTARIA | 8,75 | Mibor + 2 | 25 | 80 | 1,75 | 1 | 10,50 | 15 | 80 | 1,75 | - |
| POPULAR | 9,5 | Mibor + 2 | 20 | 70-80 | 1-2 | No hay | A negociar | 20 | 70-80 | 1-2 | No hay |
| CAJAMADRID | 7,95 | Mibor + 1,5 | 25 | 85 | 1,5 | 1 | 10,25 | 25 | 85 | 1,5 | 2/4 |
| LA CAIXA | 10 | IRPH(*) Cajas + 0,5 | 50 | 80 | 1 | 1 | A negociar | 10 | 80 | 1,5 | 4 |
| ZARAGOZANO | 7,40 | Mibor + 1,75 | 25 | 70 | 2 (mín. 100.000) | 1 | 10,25 | 12 | 60 (máx. 10 mill.) | 2 | 4 |
| PASTOR | 7,25 | Mibor + negociable | 20 | 100 | 1,75 | 1 | La entidad no ofrece este producto | | | | |
| BANKINTER | 7,50 | Mibor + 1,25 | 35 | 80 | 1 | 1 | 10,75 | 15 | 80 | 2 | 5 |
| CAJA GALICIA | 7,90 | Mibor + 1,25 | 25 | 80 | 1,5 | 1 | 9,25 | 12 | 80 | 1,5 | 4 |
| BANCO HIPOTECARIO | 7,90 | Índice bancos + 1,5 | 30 | 80 | 1,75 | 1 | 9,50 | 12 | 80 | 2 | 2 |

No olvidéis tener en cuenta:

- el tipo de interés
- la comisión de apertura del préstamo
- el índice de referencia y el diferencial aplicables en la revisión
- y la posibilidad de realizar amortizaciones anticipadas

## APUNTE. PROYECTO EN... ESPAÑOL COMERCIAL

Activo real

Activo financiero

Pasivo financiero

Funciones del sistema financiero

Funciones de la política monetaria

Funciones de la política financiera

Tipos de intermediarios financieros

¿Cómo negociar un préstamo? Conclusiones

## FUNCIONES

✔ Dar consejos, recomendar.

*En un préstamo hipotecario **lo más aconsejable es que** la cuota mensual a pagar no **supere** el 30 ó 40 por ciento*
***Le recomiendo que exija** las condiciones que mejor se adpaten a su caso*

✔ Hacer apreciaciones y juicios de valor.

***Es mejor pedir** el tipo de interés TAE (Tasa Anual Equivalente).*
***Lo más lógico es adaptar** el plazo a la periodicidad de los ingresos*

✔ Expresar temor, duda.

***Se teme que** el alto nivel de competencia en el sector financiero no **permita** una política decidida de aumento del importe de comisiones*
***Dudo que** la implantación de la moneda única no **provoque** la desaparición de una parte importante de las comisiones que se cobran por cambio de divisas*

TAREA: Dividid la clase en dos grupos. Un grupo explicará sus dudas y temores sobre las consecuencias de la implantación de la moneda única dentro del sistema financiero, y el otro hará las recomendaciones pertinentes y emitirá juicios de valor.

## CONTENIDOS GRAMATICALES

USO DEL SUBJUNTIVO
en expresiones de certeza y expresiones de valoración (de acciones).

➡ EXPRESIONES DE CERTEZA:

✎ Estructura:

- Expresión de certeza + que + V2 (en indicativo, si el significado es afirmativo).

***Es evidente** que **ha habido** un cambio en la política financiera*

- No + expresión de certeza + que + V2 (en subjuntivo, si el significado es negativo).
*Es dudoso que haya cambiado la política financiera del banco*

✎ Expresiones de certeza: es evidente, es cierto, es verdad, es indudable, es indiscutible, está claro, está demostrado...

➡ EXPRESIONES DE VALORACIÓN DE ACCIONES:

✎ Estructura:

- Expresión de valoración + que + V2 (en subjuntivo, cuando se especifica quién realiza la acción que se está valorando).
*Es conveniente que te informes de los distintos tipos de interés*

- Expresión de valoración + V2 (en infinitivo, cuando no se especifica quién realiza la acción que se está valorando).
*Es conveniente ahorrar en época de crisis económica*

✎ Expresiones de valoración: es lógico, es bueno/malo, es conveniente, es interesante, es divertido, es normal, es importante, es extraño, es curioso..., a mí me parece necesario/lógico/bien/mal/regular...

# Unidad 7

# Mercados financieros. La Bolsa

- **Objetivo: invertir en fondos de inversión de divisas**
- **Contenido temático**
  - La oferta y la demanda de activos financieros
  - Capacidad y necesidad de financiación
  - Tipos de mercados financieros
  - El mercado de valores: la bolsa
  - Acciones y obligaciones
- **Contenido comunicativo**
  - Hacer concesiones
  - Hablar de cambios y transformaciones bancarias
  - Hablar de datos objetivos y expresar consecuencia
  - Hablar por teléfono
- **Contenido gramatical**
  - Uso del subjuntivo: frases concesivas "aunque"
  - Uso del subjuntivo: frases consecutivas
- **Contenido léxico**
  - Léxico relacionado con los mercados financieros y la bolsa
- **Correspondencia comercial**
  - La letra de cambio: características y requisitos

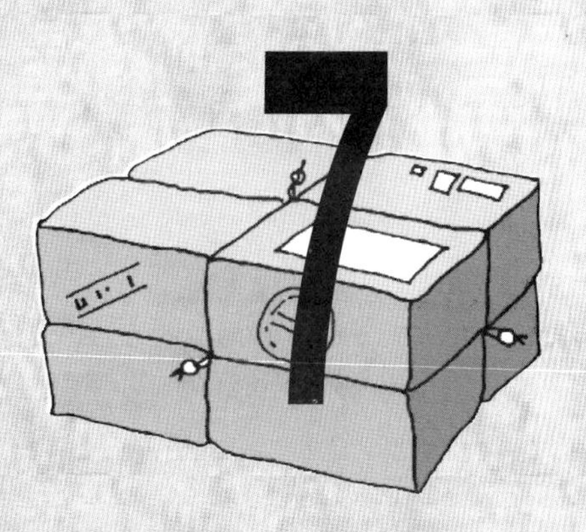

## ALGO DE VOCABULARIO SOBRE...

1 Explica en qué consisten los *mercados financieros* utilizando los siguientes términos.

Compra
Venta
Activo financiero

MERCADO FINANCIERO

______________________________________________

______________________________________________

______________________________________________

2 La *bolsa* es un mercado financiero típico, ¿por qué?

LA BOLSA

______________________________________________

______________________________________________

______________________________________________

3 Escribe alrededor de la palabra *bolsa* todas aquellas palabras que conozcas relacionadas con dicho término.

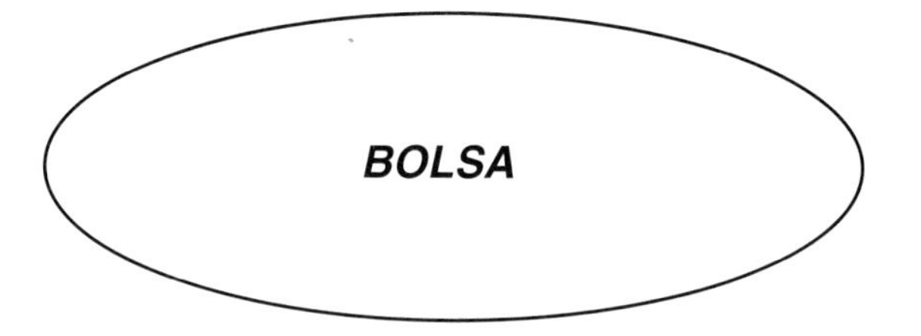


4 En grupos comparad, las distintas palabras escritas y discutid si están o no relacionadas con el término *bolsa*. Después, definid cada una de ellas.

5 Lee las siguientes definiciones sobre los diferentes tipos de mercados financieros y pregunta o busca el término o palabra correspondiente a cada una de ellas.

a) Atiende a los diferentes tipos de activos financieros que en ellos se negocian. Según la naturaleza jurídica del activo financiero se habla de mercado de acciones, de obligaciones, de letras de cambio, de pagarés de empresa, de deuda pública, de divisas, de eurodólares, etc.

En la mayoría de estos mercados se intercambia, como contrapartida de los activos que le dan nombre, otro activo financiero cuya característica es la de ser el medio de pago generalmente aceptado: el dinero.

b) Aquellos en que los activos financieros intercambiados son de nueva creación (se crea una nueva deuda). Es decir, estos mercados son de nueva financiación.

c) Aquellos en los que cambia el poseedor de un activo financiero ya preexistente. Es decir, cambia un financiador por otro.

d) Atiende al plazo de vencimiento con el que se emiten los activos. Cuando el plazo de vencimiento de un activo es inferior a un año.

e) Atiende al plazo de vencimiento con el que se emiten los activos. Activos con vencimiento superior a un año. Éstos, a su vez, suelen subdividirse a medio plazo, si su vencimiento es inferior a tres años, y a largo plazo, si es superior.

f) Están en función de los sujetos económicos que concurren en el mercado. Aquellos en los que el intercambio de activos financieros se produce entre los demandantes últimos de financiación y los oferentes últimos de ahorro.

g) Están en función de los sujetos económicos que concurren en el mercado. Uno de los dos participantes, el comprador o el vendedor, es un intermediario financiero, es decir, un tipo especial de empresa que demanda financiación para volverla a prestar (bancos, fondos de inversión, etc.).

h) Aquellos en los que se negocian activos financieros emitidos por el sector público: administración central, comunidades autónomas o gobiernos regionales, ayuntamientos, etc.

i) La posición hegemónica del sector privado puede llevarle a plantear situaciones de competencia desleal frente a los demandantes privados de financiación.

j) Aquellos mercados en los que el volumen de activos financieros intercambiados y su precio se fija solamente como consecuencia del libre juego de la oferta y la demanda.

k) Se altera administrativamente el precio o la cantidad de financiación concedida. La forma de intervención es muy variada

6 Elabora un esquema o diagrama en donde se recojan y clasifiquen, según tu criterio, los diferentes mercados financieros. Comentalo con tus compañeros(as).

7 Ordena, alfabéticamente, todas las palabras aprendidas y escribe al lado su significado.

**PALABRAS APRENDIDAS**

______________________________________

______________________________________

______________________________________

______________________________________

______________________________________

______________________________________

______________________________________

______________________________________

______________________________________

## LO QUE HAY QUE SABER SOBRE...

1 Lee el siguiente texto y contesta.

### *LA OFERTA Y LA DEMANDA DE ACTIVOS FINANCIEROS*

*La capacidad de un sujeto o sector económico para financiar a otros –o su necesidad de recibir financiación– viene determinada por la relación entre el ahorro y la inversión realizados en un determinado período de tiempo. Básicamente, las situaciones que pueden plantearse son las siguientes:*

*- Cuando el ahorro es superior a la inversión, el sujeto puede, o bien prestar este exceso, adquiriendo activos financieros, o bien dedicarlo a reducir las deudas que tenga contraídas, disminuyendo sus pasivos financieros.*

*- Si la inversión es superior al ahorro, la unidad económica puede proceder a endeudarse, aumentando sus pasivos financieros, o, por el contrario, obtener fondos vendiendo los activos financieros que poseía.*

a) Ante las situaciones planteadas en el texto, ¿qué solución darías tú?

b) La solución concreta que se adopte ante las situaciones antes mencionadas dependerá de muchos factores, por ejemplo: de los tipos de interés que esté percibiendo y pagando por sus activos y pasivos financieros. ¿Podrías decir que otros factores hay que considerar?

2 Después de leer el siguiente texto, contesta a las preguntas.

### *CAPACIDAD O NECESIDAD DE FINANCIACIÓN*

*Al margen de la capacidad o necesidad de financiación durante un período, el sujeto económico (una empresa, por ejemplo) puede estar insatisfecho con la composición de sus activos y pasivos financieros. Por el lado de la financiación que tiene concedida a terceros, puede plantearse que alguno de sus deudores es poco solvente o que sus excesos temporales de tesorería le rinden poco en su actual colocación (en un depósito a plazo de tres meses, por ejemplo) y decidir destinarlos a la adquisición de otro activo más rentable (pagarés del tesoro, por ejemplo). Por el lado de la financiación que recibe, puede pensar que el escalonamiento de sus vencimientos es poco gradual, o que su actual sistema de créditos bancarios a corto plazo, sucesivamente renovados, es más caro que una emisión de obligaciones o una ampliación de capital. En estos casos, no se otorga ni recibe nueva financiación pero sí se producen flujos de activos y pasivos financieros.*

a) ¿En qué casos de los citados se otorga o recibe alguna financiación?

b) ¿Qué tipo de movimientos se producen?

**3** Las compras y ventas de activos financieros, derivados de las situaciones anteriormente citadas ¿dónde se realizan?, ¿en qué consisten?

Se realizan en ______________________________________________

______________________________________________

Consisten en ______________________________________________

______________________________________________

______________________________________________

## LO QUE SE DICE SOBRE...

**1** Escucha y completa la información que se da.

### EL MERCADO DE VALORES. LA BOLSA

La bolsa es un ____________ en donde la oferta viene dada por las ____________ de nuevos valores o los deseos de venta de ____________ ya existente, y la demanda está constituida por los deseos de ____________ de los mismos.

Hay que distinguir entre el ____________ en que se canaliza el ahorro hacia la ____________ y se instrumenta a través de los ____________, y el ____________ que tiene como finalidad potenciar el ____________ dándole ____________ y donde se pueden negociar todo tipo de títulos admitidos a ____________

La rentabilidad de los ____________ ____________ en acciones que se cotizan en bolsa tienen tres componentes: ____________ la diferencia de cotización y las ____________

Funciones:

1ª. Canaliza el ahorro privado ____________

2ª. Organiza la ____________ mediante el binomio ____________ y ____________

3ª. Proporciona ____________ de forma rápida a los ____________ –al precio del mercado bursátil– ya que pueden transformar los títulos en ____________.

4º. Sirve de ____________ a las autoridades monetarias para tomar medidas coyunturales.

## 2 Escucha y contesta con Verdadero (V) y Falso (F)

**ACCIONES Y OBLIGACIONES**

a) Las empresas pueden obtener financiación mediante la emisión de **acciones**.

V ☑ F ☐

b) Los fondos obtenidos mediante la venta de acciones se consideran recursos propios.

V ☐ F ☑

c) Las acciones son los títulos de renta fija por excelencia.

V ☐ F ☑

d) Las **obligaciones** vienen siendo los títulos privados de renta fija más característicos.

V ☑ F ☐

e) La rentabilidad de las obligaciones depende de la buena o mala racha de la empresa.

V ☐ F ☑

## 3 Finalmente, explica brevemente en qué consisten las acciones y las obligaciones.

| ACCIONES | OBLIGACIONES |
| --- | --- |
| ______________________ | ______________________ |
| ______________________ | ______________________ |
| ______________________ | ______________________ |
| ______________________ | ______________________ |
| ______________________ | ______________________ |

## 4 Lograr una buena financiación es todo un arte. Llama por teléfono a las distintas entidades financieras e infórmate de los diferentes tipos de financiación que tienen. Después, elige aquella que mejor se adapte a tus necesidades y justifícalo. No olvides utilizar las distintas estrategias para hacer y recibir llamadas, utilizando los datos que se dan a continuación.

**EL ARTE DE LA FINANCIACIÓN**

• El grupo Banco Popular tiene productos y servicios específicos para PYMES. La financiación es sobre créditos para capital circulante, créditos para la adquisición de activos fijos, descuento comercial, "leasing" mobiliario e inmobiliario, avales, etc.

• El BBV ofrece el crédito empresario para satisfacer las necesidades de las pequeñas empresas, industriales y comerciales. Cubre inversiones tales como financiación de activos fijos, traspaso y adquisición de locales, gastos de instalación, reformas, compra de maquinaria y materia prima... Garantiza un importe máximo de 10 millones de pesetas, con un plazo de amortización de cuatro años. Su tipo de interés es del 13'75% nominal y unas comisiones de apertura del 0'50% y del 0'30% para estudio.

• La línea de financiación con fondos I.C.O. puede ser interesante para jóvenes emprendedores. Sus condiciones son dar un importe máximo de hasta el 70% de la inversión, con un plazo de cinco o siete años. El tipo de interés, fijo o variable, se aplica según la referencia del I.C.O. más el 0'5%. No hay comisiones de apertura, estudio o disponibilidad.

• El Credixprés 20, del Banco Central Hispano, está pensado para la financiación de estudios, gastos de instalación de negocio y consumo de jóvenes, entre 18 y 30 años. Esta póliza de préstamos tiene un importe máximo de cinco millones de pesetas y un plazo de amortización no superior a los 60 meses a través de 12 cuotas al año. Tiene un tipo de interés fijo de un 14'25% nominal y un 15'22% TAE.

## LO QUE SE ESCRIBE SOBRE...

**1** ¿Qué es la *letra de cambio*?, ¿en qué consiste? Busca información sobre dicho término. A continuación da tu propia definición de letra de cambio.

LETRA DE CAMBIO

______________________________________________

______________________________________________

______________________________________________

**2** Los requisitos formales de la letra de cambio se suelen dividir en esenciales y naturales. Lee en qué consisten dichos requisitos y completa las siguientes fichas.

**Requisitos esenciales:** Son aquéllos cuya ausencia resta eficacia cambiaria a la letra. Se consideran requisitos esenciales:______________________

______________________________________________

______________________________________________

**Requisitos naturales:** Son aquéllos cuya omisión es suplida por la ley. Se consideran requisitos naturales: ____________________

____________________

____________________

3 Los elementos personales de una letra de cambio son: *el librador, el librado y el tomador*. ¿Sabrías decir el papel que desempeñan en una letra de cambio?, ¿qué otro nombre reciben el librador y el librado?

LIBRADOR

____________________

____________________

LIBRADO

____________________

____________________

TOMADOR

____________________

____________________

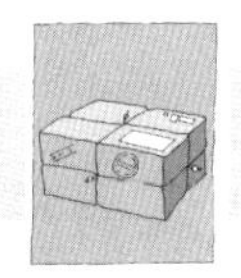

## TAREA FINAL

1 Lee el siguiente texto y coméntalo en clase

***MADRID DIVISA***

*Siendo conscientes de las nuevas perspectivas que se abren para la inversión internacional, Caja Madrid ha decidido ofrecer un nuevo fondo de inversión mobiliaria: Madrid DIvisa FIM, destinado a inversores a medio y largo plazo que desean diversificar sus inversiones internacionalmente (EE.UU., Europa y Japón), en valores de máxima solvencia, líquidos y seguros.*

*Este fondo concentra sus inversiones en valores extranjeros tanto de renta variable como de renta fija a medio y largo plazo, no superando el porcentaje de la renta variable el 50% del patrimonio del fondo. Las suscripciones y los reembolsos se realizan en pesetas según el valor diario de la participación del fondo. Si bien el cliente puede disponer de su inversión en cualquier momento, resulta recomendable mantener la inversión a medio plazo para obtener una rentabilidad superior del fondo.*

*El inversor de un fondo de divisas debe estar dispuesto a asumir importantes osci-*

*laciones en el valor de su inversión en plazos cortos como consecuencia de las fluctuaciones en las cotizaciones y en los tipos de cambio.*

*Este fondo permite invertir desde 10.000 pesetas y para mayor comodidad de los clientes ofrece la posiblidad de establecer planes de ahorro periódicos con total flexibilidad tanto en la cuantía de la aportación como en la periodicidad y fechas en que se desee ahorrar.*

2 Teniendo en cuenta lo que se dice en el texto, si tú tomaras la decisión de destinar parte del ahorro hacia los mercados internacionales ¿cuáles serían las ventajas de incluir fondos de divisas dentro de la cartera de un inversor a largo plazo?

VENTAJAS

______________________________________________

______________________________________________

______________________________________________

3 Una vez vistas las ventajas, compáralas con las que aquí se dan y, justifica tu decisión de invertir o no en fondos de inversión en divisas.

**VENTAJAS**

- Reducción del riesgo a través de una mayor diversificación que no vincula el resultado de las inversiones a la evolución de los mercados nacionales.
- La diversificación que el propio fondo puede realizar al sumar el ahorro de todos los inversores del fondo resulta notablemente mayor de la que podría alcanzar un inversor individual que, probablemente, debería optar por invertir en una o dos divisas y en dos o tres acciones o bonos extranjeros.
- Permite apostar por las economías de otros países.
- Gestión profesional que resulta especialmente necesaria por la mayor complejidad de analizar la evolución de los distintos países, monedas y mercados tantos bursátiles como de renta fija o productos derivados.
- Acceso a mercados que pueden requerir importes mínimos de inversión reservados a grandes inversiones.
- La gran rentabilidad que se puede obtener en relación con la que resultaría de una inversión concentrada en el mercado nacional.
- Los fondos de inversión en divisas gozan de las mismas ventajas de liquidez y fiscalidad favorable que el resto de los fondos.

JUSTIFICACIÓN

## APUNTE. PROYECTO EN... ESPAÑOL COMERCIAL

Mercados financieros

La bolsa

Funciones de la bolsa

Diferentes tipos de mercados financieros

Acciones y obligaciones: características

Invertir en fondos de inversión. Justificación

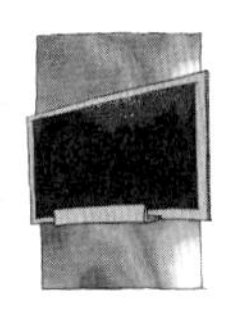

## FUNCIONES

✔ Hacer concesiones.

***Aunque existen*** *varios tipos de Ofertas Públicas de Adquisición, no me interesa ninguna de ellas*

✔ Hablar de cambios y transformaciones bancarias.

*El espectacular desarrollo tecnológico* ***se ha convertido en*** *la corriente innovadora que ampliará las posibilidades de realizar operaciones financieras complejas*

✔ Hablar de datos objetivos y expresar consecuencia.

*El panorama financiero en los últimos veinte años ha cambiado de forma radical; d****e ahí que se haya incrementado l****a actividad financiera muy por encima del progreso de la economía real*

TAREA: Comentad en clase las consecuencias que puede originar la desconexión de la banca con el sistema empresarial y, las consecuencias si se da una conexión.

## CONTENIDOS GRAMATICALES

USO DEL SUBJUNTIVO: "aunque"

➡ Expresan una objección al cumplimiento de la acción del verbo principal.

✎ Aunque + indicativo: utilizamos el indicativo para referirnos a un hecho experimentado, conocido o comprobado.

***Aunque conceden*** *un préstamo hipotecario con ventajas, es mejor estar bien informados*

✎ Aunque + subjuntivo: utilizamos el subjuntivo para referirnos a un hecho no experimentado, conocido o comprobado.

***Aunque concedan*** *un préstamo hipotecario con ventajas, es mejor estar bien informados*

USO DEL SUBJUNTIVO: Consecutivas

➡ Expresan el resultado de la acción del verbo principal.

➡ USOS

✎ Tanto que + indicativo/tan + adjetivo + que + indicativo.

✎ De (tal) modo, forma, manera que + indicativo.

*Todos estos productos cuentan con unas ventajas* ***tan atractivas que hay*** *un gran deseo de compra por parte del cliente*

✎ Así que, por lo tanto, por consiguiente, luego + indicativo/de ahí que + subjuntivo.

*El panorama financiero ha cambiado de forma radical, de ahí que se haya incrementado la actividad financiera*

# Unidad 8

# Negociaciones

- **Objetivo: hacer negocios con otras empresas**
- **Contenido temático**
  - Fases de una negociación
  - Las cuatro dimensiones de una negociación
  - La regla de oro de la negociación
  - La relación en una negociación
- **Contenido comunicativo**
  - Organizar y presentar un tema
  - Pasar a otro apartado
  - Explicar diferentes opciones
  - Concluir un tema
  - Hablar por teléfono: contactar con los clientes
- **Contenido gramatical**
  - Preposiciones: usos
- **Contenido léxico**
  - Léxico relacionado con el mundo de los negocios
- **Correspondencia comercial**
  - El acta y el informe: características

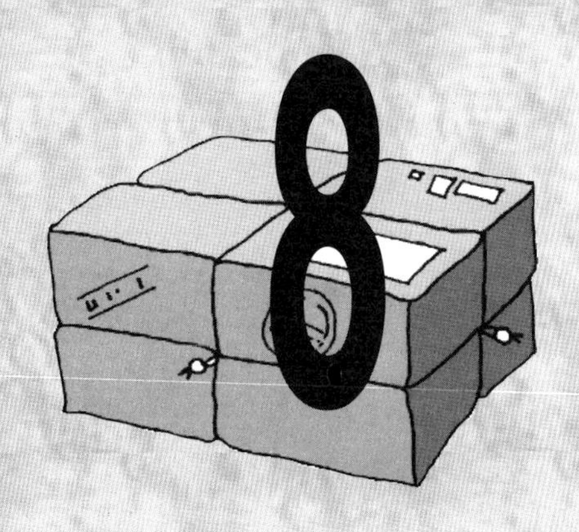

## ALGO DE VOCABULARIO SOBRE...

1 ¿Qué entiendes por *confianza*? Define dicho término y coméntalo con tus compañeros(as). Intenta llegar a una única definición.

CONFIANZA

_______________________________________________
_______________________________________________
_______________________________________________
_______________________________________________
_______________________________________________

2 ¿Crees que la base de una buena negociación está en la confianza?, ¿por qué?, justifícalo.

3 Define de nuevo la palabra confianza pensando en una negociación. ¿Coincide esta definición con la anterior?, ¿por qué?

CONFIANZA

_______________________________________________
_______________________________________________
_______________________________________________
_______________________________________________
_______________________________________________

4 "Por confianza entendemos poder contar con la otra parte y, a su vez, que la otra parte sea capaz de contar con nosotros. La confianza es el resultado de una relación, no su punto de partida". ¿Estás de acuerdo con esta definición?, ¿por qué?, justifícalo.

JUSTIFICACIÓN

_______________________________________________
_______________________________________________
_______________________________________________
_______________________________________________
_______________________________________________

5 Lee el siguiente texto y después contesta.

### *CUANDO HAY CONFIANZA*

*Cualquier negociación está condicionada fundamentalmente por el grado de confianza que existe en la relación entre las partes.*

*Cuanto mayor sea el riesgo en una negociación, mayor será la necesidad de confianza, porque nadie asume riesgos con personas de las que desconfía. Los negociadores más eficaces lo primero que hacen es analizar el grado de confianza en una situación determinada.*

*Hay que dedicar tiempo y dinero a analizar el grado de confianza y a desarrollarla. Por confianza entendemos poder contar con la otra parte y, a su vez, que la otra parte sea capaz de contar con nosotros. La confianza es el resultado de una relación, no su punto de partida.*

*Un modo de desarrollar la confianza es demostrar la propia fiabilidad. Otro modo es asegurarse de que la otra parte nunca se verá sorprendida; ésa es la clave.*

*No conviene desestabilizar con sorpresas a las personas con las que se está negociando. Advierta de antemano cada uno de sus pasos. Si acepta tratar determinadas cuestiones, acuda a la reunión preparado para tratarlas. Parece sencillo, pero son muchos los que perturban la confianza y la relación por no mantener su palabra sobre nimiedades y sorprendiendo a la otra parte. Pero que la otra parte no sea la que le indique cómo ser fiable. Esto lo debe decidir uno mismo, y después demostrar su fiabilidad de manera convincente.*

¿Estás de acuerdo con lo que aquí se dice?, ¿por qué?, justifícalo.

JUSTIFICACIÓN

________________________________________________

________________________________________________

________________________________________________

________________________________________________

6 El proceso de *negociación,* como el ajedrez, se divide en una serie de fases secuenciales. La apertura la constituye la fase de prenegociación, en la que se define el marco general y se formulan los detalles concretos antes de comenzar con las reuniones formales de negociación.

### FASES A TENER EN CUENTA EN UNA NEGOCIACIÓN

a) ____________________. Acudir a unas negociaciones sin instrucciones claras, explícitas y precisas es una vía segura hacia el desastre.

b) ____________________. Al principio de las negociaciones, la principal tarea del negociador consiste en presionar a su jerarquía para que defina sus posiciones de manera concreta y, lo que es más importante, que defina cuáles son sus intereses subyacentes en la negociación.

c) ______________________. Puede resultar paradójico, pero cuanto menos libertad de negociación se tenga en la mesa de negociación, más confiado y seguro se siente con respecto a la posición de su equipo en las negociaciones. El aplomo táctico como negociador deriva de la confianza que uno tiene en sus objetivos, esa capacidad de ser creído por la otra parte porque uno sabe lo que puede ceder. Cuanto más explícitos sean, más liberado está el negociador; cuanto más corto le aten, mayor libertad tendrá.

d) ______________________. Mantener a la jerarquía de nuestra organización informada sobre el avance de las conversaciones nos da un control mucho mayor sobre el proceso del que tendríamos de no hacerlo así.

Pon título a las distintas secuencias de negociación, anteriores, teniendo en cuenta lo que se dice de cada una de ellas.

## LO QUE HAY QUE SABER SOBRE...

1 *"Dos no bastan para llegar a un acuerdo"*. ¿Estás de acuerdo con esta afirmación?, ¿por qué?

2 *"La negociación implica a muchas más personas de las que se encuentran alrededor de la mesa"*. ¿De qué personas se trata?

3 El siguiente texto menciona las cuatro dimensiones de una negociación, pero no aparecen dichas dimensiones ¿podrías decir cuáles pueden ser éstas?

### *LAS CUATRO DIMENSIONES DE LA NEGOCIACIÓN*

*La prensa, cuando informa sobre una negociación sobre el control de armamento o un proceso de negociación colectiva, suele describir la negociación como una reunión de dos partes indiferenciadas sentadas a ambos lados de la mesa. La información puede ser algo así como "Japoneses y norteamericanos vuelven a reunirse hoy en Ginebra" o "El Gobierno francés y la CGT han suspendido la negociación del convenio colectivo indefinidamente, al convocar el sindicato una huelga general".*

*Esta descripción simplifica en exceso el proceso de negociación y presenta su estructura como si sólo tuviera una dimensión. La negociación se denomina "bilateral" cuando hay dos partes que participan en las conversaciones, presentándola como una especie de toma y daca entre dos bloques (personas, grupos, empresas o países), incluso la literatura académica presenta la negociación en forma de una estructura unidimensional entre dos elementos: dos personas, como un marido y su mujer, un vendedor y un comprador, un profesor y un estudiante, un jefe y su subordinado, o dos grupos, como las delegaciones para el control de armamentos de Rusia y la OTAN, las conversaciones parlamentarias entre los socialdemócratas y los democratacristianos, los equipos comerciales de Xerox y Fuji o los equipos de negociación colectiva de los sindicatos y de la dirección.*

*Esta presentación del proceso ignora la estructura multidimensional y semiprivada de toda negociación. Así, mientras la mayoría de las negociaciones se presentan como si se produjeran entre dos partes, en realidad existen cuatro dimensiones básicas:*

Las cuatro dimensiones de la negociación

1. ______________________________________________

2. ______________________________________________

3. ______________________________________________

4. ______________________________________________

**4** Las cuatro dimensiones básicas para una negociación son:

- las negociaciones horizontales entre los dos equipos negociadores
- las negociaciones internas dentro de cada equipo
- las negociaciones verticales entre cada equipo y su organización jerárquica
- las negociaciones externas entre cada uno de los equipos y otras partes interesadas, como la prensa, la opinión pública o el gobierno.

¿Estás de acuerdo con ellas?, ¿por qué?, ¿coincide con lo que antes habías dicho?, justifíca tu respuesta.

**5** Tanto un juicio como una negociación son procesos de decisión, pero su funcionamiento no se parecen en nada. Abordaremos la negociación como si de un juicio se tratara. Pero no es un juicio; es una negociación, y existen diferencias fundamentales.
Contesta a las preguntas que se hacen para, así, descubrir las diferencias fundamentales entre un juicio y una negociación.

**En la negociación no hay condenados**

a) ¿Quién decide?
En un juicio, el juez; en una negociación bilateral ______________________

b) ¿Quién establece los hechos?
Ante los tribunales, el juez decide qué hechos son relevantes y cuáles no. En una negociación ______________________

c) ¿Quién gana y quién pierde?
Ante los tribunales, la resolución de un asunto implica que una parte gana y otra pierde. El proceso está concebido así. En una negociación ______________________

d) ¿Cómo tratamos a la otra parte?
Cuando dos abogados defienden un asunto en los tribunales, suelen tratar duramente a la otra parte, a su abogado y a sus testigos, pero al juez lo tratan con deferencia y respeto, porque es el que tiene el poder de decidir el resultado de todo el proceso. En una negociación ______________________

e) ¿Cómo solemos comportarnos?
Actuamos sabiendo que una parte es la que gana y la otra la que pierde. En una negociación ______________________

## LO QUE SE DICE SOBRE...

1 ¿Cuál es la regla de oro de una negociación? Escucha las siguientes afirmaciones y después contesta a la pregunta anterior.

2 Dividid la clase en grupos o parejas. Cada grupo o pareja leerá uno de los textos y se lo contará a los otros grupos.

## LA RELACIÓN

• El problema, para los occidentales, es meramente técnico. Para las culturas no occidentales, el problema es más bien personal; para ellos el problema es la relación entre las partes. Cuando la relación es sólida, cualquier dificultad meramente técnica puede resolverse sin dificultad.

• Otras culturas otorgan un valor superior a las relaciones armoniosas ¿por qué? En parte, ello se debe a que son más gratificantes que las relaciones negativas. Pero existe también una razón práctica estrictamente racional. Desean una negociación fácil y no sólo hoy o esta semana. La relación es la inversión que están dispuestos a realizar para asegurarse de que las cosas funcionan bien durante mucho tiempo. Al margen de los problemas técnicos que puedan surgir, la relación permanecerá constante a lo largo del tiempo.

• Pero el contenido no es más que la mitad del problema. La relación con las personas es la otra mitad y las que proceden de otras culturas le atribuyen mucha más importancia. Seguramente, le pregunten: ¿De qué parte de Europa es?, ¿está casado?, ¿cuántos hijos tiene? Intentan comprender a la persona con la que están negociando.

• Las culturas no occidentales desean llegar a tener la confianza necesaria para no depender de sus interlocutores occidentales. Las personas que proceden de culturas en las que la relación de dependencia es importante no quieren asumir un riesgo con alguien en quien no confían. En una relación, siempre existe la posiblidad de engaño. Es algo intrínseco a un proceso, como el de la negociación en el que ambas partes ocultan la información que les puede ser desfavorable y beneficiar a la otra parte. La confianza reduce el riesgo inherente a las relaciones humanas.

• La atención que se presta al desarrollo de la confianza refuerza la relación, lo que, a su vez, reduce el riesgo para ambas partes que lleva consigo toda negociación y proporciona la oportunidad de intercambiar promesas y compromisos. La confianza más elemental constituye la base que necesitamos para encomendarnos a la otra parte y viceversa.

• Muchos occidentales, pero sobre todo los del norte de Europa y los norteamericanos, van directamente al grano. Somos técnicos: nos concentramos en hacer el trabajo, en el contenido. Pensamos que tras haber resuelto el problema quizá podamos tomarnos algún tiempo (si es que lo tenemos) para conocer a las personas con quienes negociamos.

3 Una vez escuchadas y leídas todas las partes, ordenad y comentad dicho texto. ¿Qué conclusiones se pueden sacar? Justificad vuestra respuesta.

CONCLUSIONES

______________________________________________

______________________________________________

______________________________________________

______________________________________________

______________________________________________

4 Un buen empresario no debe descuidar una llamada telefónica con su cliente. Esta manera de comunicar puede generar aspectos positivos sobre la percepción del cliente: que nos considere y, en consecuencia, establezca una buena relación con la empresa.
Formad equipos, pensad y discutid cómo será el primer contacto por teléfono con vuestro "posible" cliente para mantener buenas relaciones con él e inventad un pequeño diálogo. Después, en parejas (formadas por componentes de distintos grupos), simulad la conversación telefónica.

## LO QUE SE ESCRIBE SOBRE...

1 La estructura del *acta* es la siguiente:

a) Encabezamiento: lugar, fecha y hora en que se celebra la reunión; relación, en el margen izquierdo, de los nombres de las personas que asistan y cargos que ostentan dentro de la directiva de la sociedad; objeto de la reunión.

b) Cuerpo: intervenciones relativas a los asuntos tratados (con el nombre de las personas que intervienen); acuerdos a los que se ha llegado; objetivos que se propongan con vistas al futuro.

c) Final: fórmula final: "Por no haber más asuntos que tratar"; se pone fin a la reunión, firmando al pie, además del secretario, las personas que por razón de su cargo tengan obligación de hacerlo.

¿Podrías hacer un esquema del acta partiendo de la información dada?

2 Ahora, intenta dar una definición de acta. Después coméntalo en la clase y busca una única definición.

ACTA

________________________________________

________________________________________

________________________________________

3 Levanta un acta de la reunión celebrada por los departamentos de márketing, publicidad y contabilidad para discutir los medios económicos disponibles para lanzar una nueva campaña publicitaria.

4 El *informe* va, siempre, dirigido a un superior y tiene carácter interno. Su finalidad es dar, de manera ordenada y detallada, noticia acerca de una persona, negocio, asunto, suceso, etc. El esquema que presenta el informe es el siguiente: título del informe; autor del que presenta el informe; exposición del tema, asunto, etc.; valoración, sugerencias y conclusión.
Haz un esquema del informe a partir de la información dada.

## TAREA FINAL

1 Vas a asistir a una feria internacional. El objetivo de tu asistencia es lanzar al exterior el producto o servicio de tu empresa y darte a conocer en el sector. Para ello, necesitas hacer una presentación en dicho sector, pero antes es necesario que tengas en cuenta los distintos factores que pueden influir en ella. Analiza si son necesarios o no, por qué se hacen en tu país, con qué motivo, etc.

PRESENTACIONES: factores a tener en cuenta.

- contar un chiste
- hacer referencia a soportes visuales
- hacer preguntas
- establecer objetivos
- quitarse la chaqueta
- pedir a la audiencia que se presente
- resumir
- sonreír a la audiencia
- mostrarse serio para inspirar confianza
- hacer un comentario general sobre el tema

¿Qué otros factores tendrías en cuenta?, ¿por qué?

---

2 Dividid la clase en dos equipos, cada equipo tendrá un texto diferente, con doce tácticas para negociar: cuatro tácticas son para la buena negociación, otras cuatro para la mala negociación y las cuatro restantes pueden ser buenas o malas, todo dependerá de la cultura, la situación, etc. Leed los textos y discutid sobre el orden que deben tener las tácticas, según cada equipo las sienta más o menos esenciales y satisfactorias para una negociación; cada equipo anotará el orden establecido.

### *TÁCTICAS PARA NEGOCIAR: TEXTO A*

- *Establecer una relación amistosa o de armonía.*
- *Considerar la propuesta del otro como una de las muchas opciones posibles.*
- *Es siempre importante recordar que TÚ TIENES GANADA LA NEGOCIACiÓN.*
- *No dudar en usar insultos e irritar; en los negocios todo es posible.*
- *Hacer sugerencias y preguntas del tipo: "Permítame/permítanme hacer una sugerencia", "¿Me permite una pregunta?".*
- *Ser flexible con las distintas opciones que se presentan.*
- *Dar algunas razones, no muchas, cuando se quiere algo.*
- *No beber durante una negociación: esto afecta al juicio y a la rapidez mental.*
- *Para negociar satisfactoriamente hay que hablar de los sentimientos y de lo que se piensa abiertamente.*
- *Para conseguir una buena negociación hay que intentar diferentes estrategias.*
- *Hacer un plan de encuentro y mantenerlo.*
- *Considerar que se está en la mejor posición para ganar la negociación.*

### *TÁCTICAS PARA NEGOCIAR: TEXTO B*

- *Estar alerta.*
- *Defender y atacar con palabras clave.*
- *No poner de manifiesto todos los puntos de vista.*
- *Dar validez a las propuestas del otro y decir cosas como: "Ése es un buen punto de vista", "habría que tener en cuenta el punto de vista expuesto por ...".*
- *Estar tranquilo y dar armonía y tranquilidad al otro.*
- *No negociar con aquello que pueda dar poder para tomar una decisión.*

- *Razonar y explicar una propuesta.*
- *Enfatizar las áreas en las que se está de acuerdo.*
- *Mostrar los verdaderos sentimientos durante una negociación y usar expresiones como: "yo me siento...", "yo siento que...".*
- *Dar y esperar un tiempo razonable para pensar en la nueva propuesta presentada.*
- *Mantener, en la mente, que es importante llegar a un acuerdo.*
- *Si se necesita llegar a un acuerdo lo antes posible, se intentará siempre asaltar, precipitar al otro.*

Finalmente, en parejas formadas por un componente del equipo A y otro del equipo B, se negociará el orden establecido por uno y otro equipo, se explicará el porqué y se intentará convencer al otro, lógicamente con las tácticas negociadoras pertinentes.

3 Teniendo en cuenta las distintas tácticas para negociar y lo que has aprendido anteriormente, ¡vamos a negociar! Elige, según el producto o servicio que ofrece tu empresa, una empresa internacional dentro del sector con la que quieras iniciar negociaciones para abrir nuevos mercados, y piensa en el objetivo de la negociación y en cómo lo vas a llevar a cabo.

## APUNTE. PROYECTO EN... ESPAÑOL COMERCIAL

Confianza

______________________________

______________________________

Fases a tener en cuenta en una negociación

______________________________

______________________________

Las cuatro dimensiones de una negociación

______________________________

______________________________

La regla de oro de la negociación

______________________________

______________________________

Factores a tener en cuenta en una negociación

______________________________

______________________________

Tácticas de negociación

_______________

_______________

Empresa internacional. Negociaciones a seguir

_______________

_______________

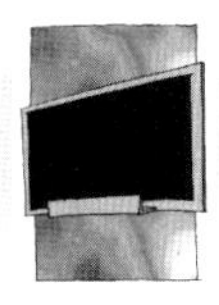

## FUNCIONES

✔ Organizar y presentar un tema.

*Para empezar...*
*En primer lugar*
*En segundo lugar*
*A continuación*
*Para pasar después a considerar*
*Seguiremos con...*
*Terminaremos con...*
*Para finalizar*
*Para terminar*
*Por último*

✔ Pasar a otro apartado.

*Conviene ahora tratar un aspecto distinto del tema...*
*Pasaremos a considerar otro aspecto del tema...*
*El tema que nos ocupa se puede enfocar de otra manera, es decir, considerando primero...*
*Se podría abordar el tema de... desde otro punto de vista*
*Habría que tener en cuenta otros aspectos/argumentos /factores/elementos...*

✔ Explicar diferentes opciones.

*Podemos considerar esta cuestión desde tres puntos de vista...*
*Ante esto caben diferentes posibilidades/interpretaciones/opciones: la primera...*
*En lo que se refiere a...*
*Esta cuestión tiene tres soluciones/interpretaciones*

✔ Para terminar.

*El tema que estamos tratando se puede resumir de esta manera...*
*La cuestión de la que nos hemos venido ocupando se reduce, en lo esencial, a...*
*Todos los argumentos mencionados apuntan a la misma conclusión...*
*Terminaremos diciendo que...*
*Esto es todo, únicamente agradecerles su atención*

TAREA: Formad parejas, pensad en un tema y organizadlo a partir de las funciones anteriores. Después presentádselo a la clase.

# CONTENIDOS GRAMATICALES

## PREPOSICIONES

➡ PREPOSICIÓN "DE".

- Posesión, pertenencia:
  *Los documentos son **de** los empleados*
- Origen, nacionalidad:
  *El nuevo producto es **de** España*
- Materia:
  *La maquinaria es **de** acero*
- Caracterización:
  *El informe **de** la negociación es muy interesante*
- Tiempo:
  *El presidente se reunirá con los directores **de** 5 a 7*
- Espacio:
  *Apenas hay distancia **de** tu despacho al mío*
- Contenido:
  *La cartera estaba llena **de** documentos*
- Parte:
  *Todos querían un porcentaje **de** las acciones*
- Causa:
  *Se firmó el contrato **de** casualidad*
- Modo (de pie, de golpe, de repente, de pronto, de lado, de frente...):
  ***De** golpe, todos se quedaron callados*
- Superlativo:
  *Es el proyecto empresarial más arriesgado **de** toda la historia*
- Sustantivo + de + sustantivo:
  *Es un desastre **de** empresario*

➡ PREPOSICIÓN "DESDE".

- TIEMPO
  - Correlación desde...hasta (período con punto de origen y límite):
    *Todos tienen el mismo horario **desde** las siete **hasta** las tres*
  - Inicio preciso:
    *Estamos negociando con esa empresa **desde** septiembre*

- ESPACIO
  - Correlación desde...hasta (espacio con punto de origen y límite):
    *No hay apenas distancia **desde** su lugar de trabajo hasta el tuyo*
  - Punto exacto:
    *Escuchó toda la conversación **desde** donde estaba sentado*

➡ PREPOSICIÓN "A".

✎ Complemento directo que hace referencia a ser(es) animado(s), excepto con el verbo "tener":

*Estamos buscando **a** los directivos*

✎ Complemente indirecto:

*Han comunicado la noticia **a** los contribuyentes en paro*

✎ Espacio:

- de...a:

*De** esta sucursal **a** la otra hay tres kms.*

- dirección:

*Van **al** Ministerio de Hacienda*

- distancia:

*La nueva filial está **a** siete Kms.*

- expresiones (al fondo, al final de, a la derecha...)

*La fotocopiadora está **al** final del pasillo*

✎ Tiempo

- de...a:

*Trabajan **de** lunes **a** sábado*

- hora exacta:

*El comité se reunirá **a** las nueve*

- expresiones (a mediodía, a media tarde, a media noche)

*Le entrevistarán **a** media tarde*

- periodicidad:

*El vicepresidente de la compañía viaja cinco veces **al** mes*

- edad:

***A** los cuarenta años le nombraron presidente*

✎ Modo:

- instrumento (a mano, a máquina):

*Ahora nadie escribe **a** máquina*

- órdenes:

*¡**A** trabajar!*

- precio:

*El dólar está **a** ciento cuarenta pesetas*

➡ PREPOSICIÓN "EN".

✎ Tiempo:

- Tiempo exacto (años, meses, épocas, estaciones):

*La compañía entró en crisis **en** verano/**en** 1996*

- Tiempo que dura una acción:

*El contable resolvió el problema **en** quince minutos*

✎ Espacio:

- Localización:

*Siempre han trabajado **en** la misma empresa*

- Lugar encima o dentro del cual se encuentra algo:

*Las facturas están **en** la bandeja*

➡ PREPOSICIÓN "PARA".

✎ Finalidad o utilidad:

*La campaña publicitaria es **para** promocionar el producto*

✎ Complemento indirecto con sentido de destino:

*Los ordenadores son **para** el departamento de contabilidad*

✎ Con verbos de movimiento expresa dirección (como hacia) pero le añade sentido de destino:

*Se irá **para** Zaragoza esta tarde*

✎ Tiempo:

- Final de plazo:

*Cerraremos la venta **para** octubre*

- Fecha aproximada (futura):

*Firmaré el contrato **para** junio*

✎ Ante nombre o pronombre indica opinión:

***Para** ellos, es más fácil hacer un contrato en prácticas*

✎ Expresiones:

- que significan "a pesar de", "teniendo en cuenta que":

***Para** llevar un mes en la compañía, lo hace muy bien*

- que indican la escasa importancia de lo que se trata:

***Para** lo que ha servido invertir, mejor no haber hecho nada*

- que indican valoración positiva:

***Para** buenas ideas, las de tu jefe*

➡ PREPOSICIÓN "POR".

✎ Causa de una acción:

*Ha sido ascendido **por** su último trabajo*

✎ Complemento agente de los verbos en pasiva:

*Fue felicitado **por** todos sus superiores*

✎ Espacio

- lugar indeterminado:

*El informe lo dejé **por** ahí*

- movimiento o paso por un lugar:

*Mi ayudante pasará **por** tu oficina*

✎ Tiempo

- partes del día (por la noche, por la tarde, por la mañana):

*El director os recibirá **por** la mañana*

- tiempo aproximado:

*Entré a trabajar **por** esas fechas*

- periodicidad:

*Nos hace un pedido dos veces **por** semana*

✎ Idea de sustitución, "en lugar de":

*Mañana vendrá el subdirector **por** el director, él está de viaje*

✎ Medio:

*Enviaron todos los pedidos **por** tren*

✎ Precio:

*Vendió sus acciones **por** poquísimo dinero*

# Proyecto Final

- Estudio de mercado
- Cómo enfocar el plan de viabilidad
- El arte de la financiación
- Cómo elegir un buen socio
- Los trámites
- Una campaña de publicidad eficaz
- La importancia de la carta comercial
- Contratar personal
- La relación con los clientes
- Asistir a una feria
- El teléfono: ¿cómo hacerlo más útil?
- Poner precio

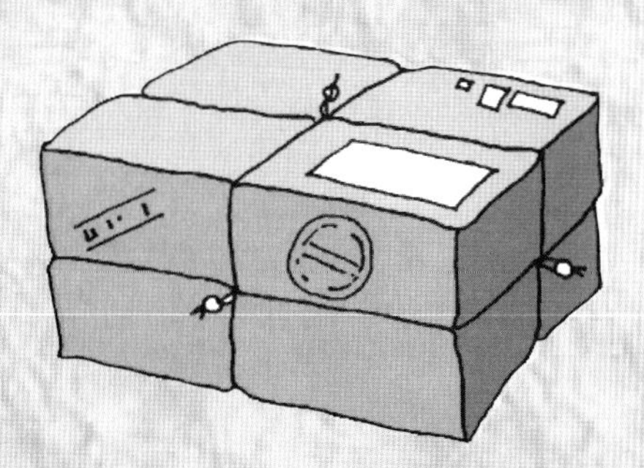

1 Todas las tareas realizadas durante el curso te han servido para ponerte en contacto con el mundo empresarial y te han ayudado a crear/iniciar tu propia empresa pero..., tal vez todavía necesites aclarar algunos puntos para poner en práctica dicho proyecto y empezar a funcionar. Recuerda que no hay que olvidar nada si quieres evitar un fracaso. Aquí tienes todas las opciones, léelas y, después, realiza las distintas tareas que a continuación se proponen.

## UN ESTUDIO DE MERCADO ¡SIEMPRE!

***Invertir en un estudio de mercado.*** *Es casi imprescindible invertir en un estudio de mercado. Analizar cómo está el terreno en el que vas a introducir tus productos, cómo se mueven los que van a ser tus futuros clientes, y qué es lo que están demandando. El estudio de mercado tiene que estar hecho a medida de sus necesidades.*

***Saber más y mejor que la competencia.*** *Un estudio de mercado sirve para que tengas un conocimento amplio y objetivo de la empresa que pretendes iniciar. Además, puede ser útil no sólo para lanzar una empresa sino también para poner en marcha una nueva actividad dentro del propio negocio.*

***Conocer al cliente.*** *Nos permitirá conocer el perfil exacto del cliente potencial y sabremos cómo servirle con acierto. Hay que preguntarse cuestiones como qué edad es la ideal, a qué sexo nos dirigimos, quién habita en esa zona, cuáles son sus preferencias, motivos y hábitos de compra...*

***Periodo de vida del producto.*** *También el producto o servicio puede ser objeto de estudio: analizar dónde se puede extender más el producto y saber que tienes capacidad de modificarlo en función de las exigencias del mercado; y buscar las pautas para garantizar el crecimiento mediante el análisis de mercancías similares especificando sus características y volumen de venta.*

***Rentabilidad.*** *Los gastos empleados en los estudios son, en muchas ocasiones, una rentable inversión. Hay que saber con quién y con qué tratamos para asegurarnos de que seremos competitivos.*

TAREA: ¿Estás de acuerdo en que es imprescindible hacer un estudio de mercado? Elaborad, por grupos, una *encuesta* donde se reflejen los puntos anteriores. Recordad que el estudio de mercado tendrá que orientarse hacia las necesidades del servicio o producto que ofrece vuestra empresa, sin olvidar, por supuesto, al cliente y a la competencia.

RESULTADO DEL ESTUDIO DE MERCADO. ENCUESTA

______________________________________________

______________________________________________

______________________________________________

______________________________________________

## CÓMO ENFOCAR EL PLAN DE VIABILIDAD

***Planificar.*** *El futuro de vuestra empresa está en función de lo que se planifique en el presente. Si antes de poner manos a la obra realizas al menos un pequeño test de viabilidad podrás desarrollar el negocio sin ninguna venda en los ojos.*

***Test de viabilidad.*** *Basta con hacer un sencillo test para obtener un primer sondeo. En un plan de viabilidad se deben contabilizar primeramente los gastos esenciales para montar el negocio (alquiler o compra del local, mobiliario, material de oficina, herramientas...) así como la financiación, tanto propia como ajena, de la que vas a disponer. Aquí el resultado del proyecto de apertura debería equilibrarse o desviarse a vuestro favor.*

***Balance previo.*** *También es necesario hacer una previsión de beneficios con los gastos mensuales (pagos de personal, de letras, publicidad, material...) y las ventas estimadas para ese periodo de tiempo. Si te salen pérdidas no te desanimes; al principio es la tónica general ya que los gastos superan a los ingresos.*

TAREA: ¿Has pensado en si tu proyecto es viable?, ¿genera beneficios y liquidez dentro de los plazos establecidos? Con ayuda de tus compañeros(as) realiza, por un lado, un test de viabilidad y, por otro, un balance previo para saber si la iniciativa empresarial es o no viable.

| TEST DE VIABILIDAD | BALANCE |
|---|---|
| ________________________ | ________________________ |
| ________________________ | ________________________ |
| ________________________ | ________________________ |
| ________________________ | ________________________ |
| ________________________ | ________________________ |

## EL ARTE DE LA FINANCIACIÓN

***Recursos económicos.*** *Lo importante es saber con qué recursos económicos contamos. Una vez calculada la cantidad a invertir, debes analizar los medios propios y ajenos de que dispones.*

***Todas las opciones.*** *Las fuentes de financiación ajena se obtienen mediante la búsqueda de un socio o de entidades externas. Considera todas las posibles opciones, desde los créditos a las subvenciones sin dejar de lado las Sociedades de Garantía Recíproca (SGR); y, por supuesto, siempre calcula los gastos que van a producir estos tipos de financiación y ten en cuenta la financiación que se puede obtener de proveedores y acreedores.*

***Subvenciones.*** *No olvides tantear las subvenciones públicas. Las posibles opciones se encuentran a diario en el Boletín Oficial del Estado (BOE). Ahí hallarás desde ayudas autonómicas a europeas, y desde subvenciones de formación de personal a nuevas inversiones en I+D.*

TAREA: Busca en el BOE (Boletín Oficial del Estado) y haz un balance de todas aquellas subvenciones públicas que puedan ser de utilidad para tu empresa y justifícalo, siempre pensando en el producto y servicio que ofrece dicha empresa.

BALANCE. JUSTIFICACIÓN

______________________________________________

______________________________________________

______________________________________________

______________________________________________

______________________________________________

______________________________________________

## CÓMO ELEGIR UN BUEN SOCIO

***Compañeros de fatigas.*** *Si no puedes llevar el negocio y necesitas compartir trabajo, los gastos y la financiación, ha llegado el momento de buscar un socio. Los primeros planteamientos que te surgirán son para qué y por qué lo necesitas, qué características quieres que reúna, qué puedes ofrecerle y qué esperas de él.*

***¿Cuántos?*** *Tampoco debes olvidar definir el número de socios que necesitas, todo variará en función de la envergadura del negocio y del tipo de sociedad elegida.*

***¿Qué ha de tener?*** *Las cualidades que ha de tener o que se deben buscar en un socio son: que tenga capital, que disponga de buenas relaciones y contactos personales, libre disposición de tiempo, conocimientos del sector y experiencia profesional. También es conveniente analizar cualidades personales, tales como honestidad, seriedad y confianza; así como conocer su situación familiar y dedicación. ¡Ah! No te olvides de pedir referencias.*

TAREA: Al elegir un socio hay que tener claras las reglas del juego. Es importante que el objetivo por el vais a luchar tenga una misma finalidad. Deja claro dicho objetivo y piensa en las características que tiene que tener tu socio, siempre pensando en el servicio o producto que ofreces.

CARACTERÍSTICAS DEL SOCIO

______________________________________________

______________________________________________

______________________________________________

______________________________________________

______________________________________________

______________________________________________

## LOS TRÁMITES

***Ir al notario.*** *Tienes que elegir qué forma jurídica vas a aplicar a tu empresa. Puedes optar por una sociedad anónima, cooperativa, limitada, comunidad de bienes o trabajador autónomo. Lo mejor es buscar un asesor legal para estos temas. Y no te olvides de ir al Registro Mercantil.*

***Capital.*** *La elección estará en base al capital mínimo de cada sociedad mercantil y el número de socios de la empresa.*

***Permisos.*** *Cada empresa e industria tiene una calificación. Debe acogerse a las normas reguladoras, a las licencias y a los propios permisos de los ayuntamientos.*

TAREA: No hay que olvidar la responsabilidad ante terceros. Contrata un seguro de responsabilidad dependiendo de la categoría del negocio y de la actividad que estés realizando.

SEGURO DE RESPONSABILIDAD

________________________________________

________________________________________

________________________________________

________________________________________

## UNA CAMPAÑA DE PUBLICIDAD EFICAZ

***Piensa que la publicidad no es un gasto.*** *Entiéndela como una inversión y, como tal, debe ser rentable.*

***Designa el presupuesto adecuado.*** *Si te quedas corto quizás estés tirando el dinero pero una inversión excesiva no siempre garantiza mejores resultados. Invierte una pequeña cantidad de dinero en la elaboración de material de reproducción de vuestra marca. Te ahorrarás disgustos y, a la larga, dinero.*

***Transmite un mensaje claro*** *de las necesidades que cubre tu empresa o el producto al posible cliente. No intentes hacer una publicidad que te guste, ni quieras ganar premios con tu campaña. A quien tienes que llegar es a tus clientes. No olvides que el objetivo principal es vender.*

***Estudia las acciones de la competencia.*** *Intenta aprender de sus errores, pero nunca copies sus aciertos.*

***Los módulos,*** *esos pequeños anuncios de varios centímetros, pueden ser muy útiles para tu negocio. No pongas en ellos las características del producto anunciado, sino las ventajas de comprarlo. Céntrate en el titular, la ilustración y el texto. El titular se complementará con la ilustración.*

TAREA: *Déjate guiar por profesionales.* Una agencia de publicidad da servicios y además reduce costos. Muestra tu producto/servicio al resto de los grupos de la clase, como si éstos fueran profesionales y, a partir de sus recomendaciones publicitarias, envía una nota personalizada, a todos tus posibles clientes, donde aparezca el nuevo anuncio publicitario.

NOTA PERSONALIZADA A LOS POSIBLES CLIENTES

## LA IMPORTANCIA DE UNA CARTA COMERCIAL

***Saber comunicar.*** *Las claves de una carta comercial son brevedad y concisión, nunca irse por las ramas, sino atender al sentido común y a la lógica. No hay que escribir por escribir, sólo se escribe si realmente hay algo que comunicar.*

***Hacer un seguimiento.*** *La carta comercial debe despertar el interés del cliente/empresa y debe orientarse a satisfacer las necesidades del mercado. Hay que mantener siempre viva la correspondencia, es decir, hacer un seguimiento del fichero del cliente y mantenerlo actualizado.*

TAREA: ¿Qué puntos tendrías en cuenta a la hora de hacer un seguimiento?, ¿por qué?, ¿cada cuánto tiempo se haría dicho seguimiento? Escribe una carta comercial a tus clientes para despertar en ellos el interés por el producto o servicio que ofrece tu empresa.

CARTA COMERCIAL

## CONTRATAR PERSONAL

***Formación.*** *Nunca se debe descartar un programa de incentivos y de promoción; llegado el momento hay que plantearse un periodo de formación.*

***Trabajo temporal.*** *Cuando estés mal de tiempo y quieras asegurarte profesionales al momento lo mejor es que acudas a los servicios de una empresa de trabajo temporal. De esta manera puedas tener a una persona a tu disposición al día siguiente para trabajar sólo durante unas horas o por periodos algo mayores.*

TAREA: Hay que adecuar los recursos humanos a la medida de la empresa. Si el equipo no está compenetrado el desarrollo de la idea puede fracasar. Como empresario tienes que cuidar el perfil del contratado para que no arruine tu plan empresarial. Elabora una lista de preguntas o test que te permita saber si la persona a la que entrevistas es la adecuada para trabajar en tu empresa y justifícalo.

TEST PARA EL ENTREVISTADO

______________________________

______________________________

______________________________

______________________________

______________________________

______________________________

______________________________

______________________________

______________________________

## LA RELACIÓN CON LOS CLIENTES

***Seducción.*** *Presta atención a las necesidades y gustos de cada cliente. Cáptalo con nuevas ideas que le seduzcan, con promociones, ofertas y facilidades de compra.*

***Buena impresión.*** *Cuida tu imagen, no sólo la personal, sino también la de tus productos y establecimiento/s. La primera impresión es la que cuenta.*

***Confianza en uno mismo****. No confundas el servicio al cliente con el servilismo. Sé directo y educado. La confianza del comprador potencial la obtendrás demostrando un perfecto conocimiento de tu negocio, aunque tu opinión no coincida con la del comprador.*

TAREA: Marca las pautas que seguirás para estar en contacto con los distintos clientes y mantener buenas relaciones con ellos y, justifícalas.

PAUTAS A SEGUIR CON EL CLIENTE

______________________________________________
______________________________________________
______________________________________________
______________________________________________
______________________________________________
______________________________________________

## ASISTIR A UNA FERIA

***Acto de presentación.*** *Si te apuntas como expositor tu objetivo puede ser el lanzamiento de un producto, hacer tu presentación en el sector o abrir nuevos mercados allí donde se celebre el certamen. Las ferias suponen un coste añadido que se rentabiliza con la promoción y las citas posteriores que se conciertan. No escatimes en el "stand": Es tu carta de presentación.*

***Buscar contactos.*** *Este tipo de encuentros sirven principalmente para iniciar contactos y mantener relaciones. Además facilita una imagen y publicidad siempre positiva que sirve para materializar las ventas y tomar posiciones en el mercado.*

***Conocer el sector.*** *Si asistes como visitante el rol varía ya que vas de "mirón". Principalmente vas a informarte de las últimas novedades y a comparar. Aunque también es posible que compres algo. Lo mejor es que acudas para obtener una visión clara del sector.*

TAREA: Busca información sobre las distintas ferias y congresos, tanto nacionales como internacionales, que haya dentro del sector y decide a cuál vas a asistir. Justifica tu decisión.

INFORMACIÓN SOBRE FERIAS Y CONGRESOS

______________________________________________
______________________________________________
______________________________________________
______________________________________________
______________________________________________

## EL TELÉFONO: ¿CÓMO HACERLO MÁS ÚTIL?

***Es muy útil elaborar un pequeño guión*** *de lo que se va a tratar en una llamada telefónica con un cliente, proveedor, colaborador, etc. Una llamada de negocios sin planificar requiere 12 minutos, mientras que una planificada se despacha en siete minutos. Multiplica por el número de llamadas que se hacen al día.*

***Cuidar el primer contacto.*** *No se debe descuidar una llamada telefónica con el cliente. Esta manera de comunicar puede generar aspectos positivos sobre la percepción del cliente: que nos tome en consideración y, como consecuencia, establezca una buena relación con la empresa.*

***Tipo de respuesta.*** *Durante el transcurso de la conversación vas a ser el valedor de la marca, sobre todo en el inicio de la actividad empresarial. Las normas son no esperar más de tres o cuatro timbres antes de contestar al teléfono; hay que comenzar con un saludo; hablar despacio y responder rápido, confirmando la identidad del comunicante y siempre indicar el nombre de la empresa.*

***Comportamientos.*** *Saber escuchar, evitar interrumpir al interlocutor y transmitir confianza intercalando entonaciones de aprobación son algunos de los aspectos que se deben tener en cuenta. Hay que contestar todas las llamadas y no utilizar continuamente el "estoy muy ocupado".*

TAREA: No hay que desechar los programas orientados al teléfono para optimizar la comercialización de los productos. De hecho hay nuevos medios telefónicos que permiten dar una información adicional sobre el producto o servicio, atención o venta personalizada. Por ejemplo, los números 900 son buenas herramientas para comunicar. Infórmate de cómo funcionan y prepara una línea 900 para dar información adicional.

LÍNEA 900

______________________________

______________________________

______________________________

______________________________

## PON PRECIO

***Ni mucho ni poco.*** *Todo dependerá de los precios del mercado, de los márgenes con que se vende en el sector y de no infringir las normas establecidas sobre precios.*

***Margen de beneficio.*** *No estaría mal hacer una comprobación de la reacción que puede causar sobre los competidores si has optado por una política de precios agresiva. No obstante, siempre hay que trabajar con un margen suficiente para obtener beneficios y no es recomendable bajar excesivamente el precio porque puede desprestigiar el producto.*

TAREA: Haz un estudio de mercado. Compara los precios dentro del sector y decide qué política de precios vas a seguir, siempre, por supuesto, pensando en el producto o servicio que ofreces.

POLÍTICA DE PRECIOS

______________________________________________

______________________________________________

______________________________________________

______________________________________________

______________________________________________

## Y NO OLVIDAR...

***Lanzamiento publicitario.*** *¿Has pensado cómo comercializar tu producto o servicio? La publicidad es la clave del éxito. Diseña una estrategia de márketing de la mano de un experto sabiendo que ámbito de mercado vas a abarcar: local, nacional o internacional.*

***Medio de comunicación.*** *Elige el medio idóneo para promocionarte una vez decidido el mensaje. Hay que considerar al cliente y sus hábitos de compra, así como el coste de publicidad en estos medios y la rapidez y el efecto que se quiera producir. Analiza todos los medios.*

***Garantías.*** *Hay que ofrecer al cliente un sistema de garantía del producto y, por supuesto, un servicio de mantenimiento si el negocio lo requiere.*

***Distribución.*** *Diseña una estrategia de venta y una fórmula de distribución si fuera necesario. Cómo vas a hacer las entregas y que servicios de atención vas a prestar (venta directa o servicio a domicilio).*

***Trabajar en equipo.*** *Todo debe funcionar correctamente en la empresa, tanto el ciclo del producto o del servicio como el cumplimiento de plazos o la funcionalidad de la plantilla de la empresa que debe estar en perfecta coordinación y desempeñar correctamente su trabajo.*

TAREA: Para montar una empresa no basta con tener una buena idea ni el dinero suficiente. Además de eso, hay bastantes trámites por los que los futuros empresarios tienen que pasar. A continuación se dan los distintos pasos a seguir. Léelos y señala aquéllos que necesites. No olvides justificarlo.

## LOS PASOS A SEGUIR

1 Redactar la escritura de constitución y los estatutos (recogiendo el nombre de la sociedad, el de los socios, domicilio social, capital social y actividad de la empresa) presentando una instancia en el Registro Mercantil, tras comprobar que no existe otra empresa con el mismo nombre.

2 Firmar ante notario la escritura pública de constitución de la sociedad y aprobación de los estatutos, aportando el proyecto de escritura, los estatutos y el Certificado del Registro Mercantil que confirma que el nombre elegido sólo pertenece a esa empresa.

3 Pago del impuesto de Transmisiones Patrimoniales y Actos Jurídicos Documentados. Se paga el 1% del capital social. Acudir a la Agencia Estatal de Administración Tributaria o a la delegación correspondiente en cada Comunidad Autónoma.

4 Inscripción en el Registro Mercantil correspondiente. Trámite imprescindible para que las sociedades adquieran personalidad jurídica y puedan ejercer su actividad.

5 Declaración censal de comienzo de actividad y Código de Identificación Fiscal. Se solicita en la Administración o Delegación de la Agencia Estatal de la Administración Tributaria correspondiente al domicilio fiscal de la empresa.

6 Declaración de alta en el Impuesto sobre Actividades Económicas, también en Hacienda. La cuota a pagar depende de la actividad, número de habitantes de la población, tipo de licencia (local, provincial o nacional) y volumen del negocio.

7 Si se van a realizar obras en los locales del negocio, solicitar en el ayuntamiento correspondiente la licencia de obras y pagar el Impuesto sobre Construcciones, Instalaciones y Obras.

8 Es obligatorio para todos los empresarios que vayan a efectuar contrataciones, como paso previo al inicio de sus actividades, inscribir a la empresa en la administración de la Seguridad Social correspondiente al domicilio de la empresa.

9 Si el trabajador no está afiliado a la Seguridad Social, la empresa está obligada a darle de alta antes de que comience a trabajar. Debe aportar fotocopia del DNI del trabajador o documento identificativo si es extranjero.

10 Comunicación de apertura del centro de trabajo, dentro de los 30 días siguientes al inicio de la actividad, en la Dirección Provincial de Trabajo y Seguridad Social.

Justificación:

2 Convoca una reunión, para discutir si necesitas añadir, quitar o ampliar algo en tu proyecto. No olvides redactar el acta de dicha convocatoria.

ACTA

______________________________________________

______________________________________________

______________________________________________

______________________________________________

______________________________________________

3 ¿Cuál será el logotipo y anagrama de tu empresa? Piensa en él teniendo en cuenta el producto o servicio que ofreces y, después, justifícalo.

4 Finalmente explica a la clase tu proyecto empresarial. La clase decidirá si es o no un buen proyecto y justificará su opinión.

# TEXTOS Y TRANSCRIPCIONES

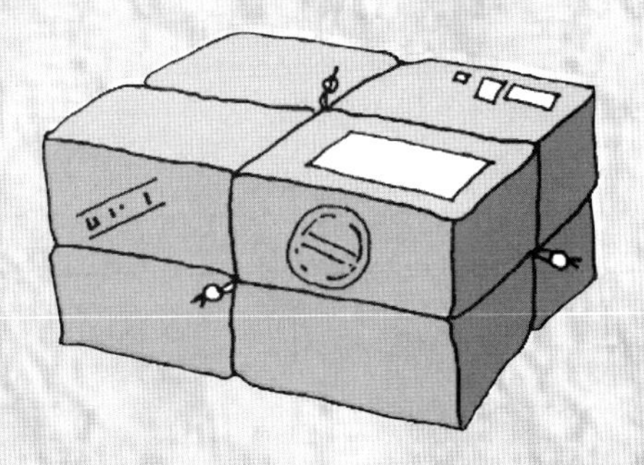

# TEXTOS. REFERENCIAS.

**Unidad 1. Empresa y empresarios.**

- La empresa es como... (Expansión).
- ¿Cuál es el fin de una empresa? (Revista de economía Expansión).
- El empresario y el directivo (Revista de economía Expansión).
- La pesadilla de la burocracia (Gaceta Universitaria).
- Formas societarias más frecuentes (Gaceta Universitaria).
- Ir por libre o montar una empresa (Gaceta Universitaria).

**Unidad 2. Productos y mercado.**

- Conocer las empresas (Revista de economía Expansión).
- La oferta y la demanda (Revista de economía Expansión).
- La rigidez flexible (Expansión).
- Competencia imperfecta (Revista de economía Expansión).
- Nuevos proyectos (Expansión).
- La regla de oro de la productividad (Expansión. Texto adaptado).
- La competencia perfecta (Revista de economía Expansión).

**Unidad 3. Recursos Humanos.**

- ¿Qué es la oferta de Empleo Público? (Gaceta Universitaria).
- Entérate del contrato que pueden hacerte (Gaceta Universitaria).
- Coca -Cola contra Pepsi (Expansión).

**Unidad 4. Márketing, publicidad y distribución.**

- Publicidad. Llamar la atención (Cinco días).
- El capital de Marca (Expansión).
- ¡A mí mis leales! (Expansión).
- El Cibermárketing (Expansión).
- Nuevo paradigma (Expansión).
- Distribución comercial (Revista de economía. Caja Madrid).
- ¿Son siempre éticos el márketing y la publicidad? (Expansión).

**Unidad 5. El sistema fiscal. Impuestos.**

- El funcionamiento del IVA (Revista de economía Expansión).
- ¿Qué es el IRPF? (Revista de economía Expansión).
- El ITE (Revista de economía Expansión).
- Hacienda reduce un 2´7% las retenciones por el IRPF para impulsar el consumo (El País).

**Unidad 6. Bancos y finanzas.**

- Activos reales y activos financieros (Gran enciclopedia de la economía. Revista Expansión).
- Operaciones transnacionales (Expansión).
- Negociar un préstamo con el banco (Expansión).
- Interés fijo y variable (Expansión).
- Comisiones bancarias (El País. Texto adaptado).

**Unidad 7. Mercados financieros. La Bolsa.**

- Mercados financieros (Gran enciclopedia de la economía. Revista Expansión).
- La oferta y la demanda de activos financieros (Gran enciclopedia de la economía. Revista Expansión).
- Capacidad y necesidad de financiación (Gran enciclopedia de la economía. Revista Expansión).
- Acciones y obligaciones (Gran enciclopedia de la economía. Revista Expansión).
- Madrid (Revista de economía. Caja Madrid).

**Unidad 8. Negociaciones.**

- Cuando hay confianza (Expansión. Texto adaptado).
- Las cuatro dimensiones de la negociación (Expansión).
- Negociaciones. La regla de oro (Expansión).
- Negociaciones. La relación (Expansión).

**Proyecto final.**

- Pasos a seguir (Gaceta Universitaria).

# UNIDAD 1. EMPRESA Y EMPRESARIOS

Lo que hay que saber sobre...

## El empresario y el directivo

*El empresario es quien organiza los factores de producción (el capital, el trabajo y los recursos naturales), obteniendo un beneficio de esta actividad.*

*En el pasado la figura del empresario se identificaba con la del capitalista (es decir, quien aporta el capital) porque quien arriesgaba su capital se ocupaba también de forma directa de la gestión de la empresa.*

*Confiando en su capacidad organizadora, el empresario-capitalista empleaba su propio capital creando una empresa con la convicción de que la renta producida sería superior a la producida por el mismo capital invertido en otras actividades. La esperanza que le movía era la misma en que se basa toda actividad económica: obtener un beneficio.*

*Actualmente sigue existiendo la figura del empresario-capitalista, aunque estos dos personajes se distancian cada vez con más frecuencia.*

*La persona que invierte su capital delega la función de organización en profesionales de la gestión, los "directivos", que reciben una compensación por su trabajo que se refleja en un contrato. Sin embargo los contratos que fijan la compensación del directivo establecen a menudo que éste reciba una parte de los beneficios (se llama "participación de beneficios" y se puede establecer también a favor de los trabajadores dependientes de la empresa).*

*El directivo indica el conjunto de personas que tienen la responsabilidad de coordinar y dirigir a otros individuos relacionados con la gestión de la empresa.*

*Consideraremos ahora la división fundamental que existe en el ámbito de las empresas. La empresa puede estar gestionada de forma individual o colectiva. Cuando está gestionada de forma individual, la persona se atribuye todo el riesgo de la empresa y se convierte en "dueño, directivo y botones", reúne los factores productivos (espíritu empresarial, capital y trabajo) en una sola persona y emprende su aventura. En el segundo caso, el riesgo de la empresa se comparte con otras personas, dando lugar a una sociedad que puede ser, a su vez, sociedad de personas o sociedad de capitales.*

## Ir por libre o montar una empresa

*Una de las cosas que hay que pensar muy bien antes de poner en marcha una empresa, es la forma jurídica que se le va a dar. Los dos grandes grupos bajo los que se pueden organizar las empresas son: empresario individual (una persona física) y sociedad mercantil (una persona jurídica).*

*El empresario individual debe cumplir dos requisitos: ser mayor de edad y tener la libre disposición de sus bienes. Es el propietario único de la empresa que gestiona, el que aporta todo el capital y trabajo necesarios para el desarrollo de la actividad, que dirige personalmente, bajo un nombre comercial y bajo su responsabilidad personal. Por lo tanto, también percibe todos los beneficios.*

*En cambio, las sociedades mercantiles están compuestas por un grupo de personas que, voluntariamente y bajo una misma denominación o razón social, constituyen un fondo patrimonial común integrado por las aportaciones de los socios. Éstas pueden ser no sólo de capital, sino también de bienes o industria. Los beneficios, en este caso, se reparten entre los socios.*

# UNIDAD 2. PRODUCTOS Y MERCADO

Algo de vocabulario sobre...

## Conocer las empresas

*Las empresas combinan los distintos factores de producción (recursos naturales, capital, trabajo y acción empresarial) para transformarlos en un "resultado productivo", es decir, un producto terminado: un coche, una caja de bombones, un mueble o un vestido. Y, por qué no, un servicio: el proyecto de un arquitecto, un viaje turístico, de negocios o una transmisión televisiva.*

*Además de producir, las empresas deciden qué estrategias comerciales adoptar en el mercado, anunciándose en prensa, radio y televisión o mediante carteles publicitarios y organizando los envíos y la distribución. En fin, desarrollan una serie de actividades auxiliares para poder vender el producto determinado. De hecho, la manera de vender es tan importante como la forma de producir.*

*Todas estas operaciones van añadiendo valor al bien producido (el "valor añadido").*

*Producir significa exactamente "añadir valor" a un bien que está destinado a ser vendido en el mercado a un determinado precio; un precio que refleje el "valor añadido" y que sea capaz de compensar todos los factores empleados en la producción.*

*La empresa ha de producir de manera "provechosa", lo que significa que debe producir para dar un beneficio a quien la dirige y una ganancia a quien trabaja en ella.*

*En otras palabras, todos los sujetos que han participado en la producción de un bien tienen derecho a disponer de una renta. Esta renta les permitirá vivir y, en consecuencia, consumir, es decir, comprar productos.*

*Así pues, es de interés general que se reparta riqueza entre quienes trabajan, porque de esa manera tienen la posibilidad de gastarla, alimentando la demanda, el intercambio y, con ello, la producción.*

## La regla de oro de la productividad

*Dividir el trabajo significa especializarse en una determinada producción, es decir, adquirir una competencia cada vez mayor en un sector concreto, en una operación determinada; siendo más "eficientes", podemos ser capaces de producir mejor, en menor tiempo y con un coste más reducido.*

*El trabajo se debe remunerar y es un gasto para las empresas. Con la reducción de las horas de trabajo necesarias para producir un bien, disminuye el coste unitario de los productos. De esta manera, las empresas pueden fijar precios más bajos en el mercado y ser competitivas. Así pues, menos horas significa menos trabajo, que a su vez significa un coste menor.*

*La división de trabajo permite a las empresas ser competitivas. El mismo mecanismo regula las relaciones comerciales entre las naciones, permitiendo que éstas hagan frente con más fuerza al mercado internacional.*

*Pero lo más importante no es sólo la cantidad de horas que se necesitan para hacer un producto. Tiene una gran relevancia también la retribución de ese trabajo.*

*Según todo esto, será más competitivo un país en el que el trabajo es más productivo y cuesta menos dinero.*

## La competencia perfecta

*¿Cuándo se da la competencia perfecta? Se necesitan dos condiciones. Desde la pespectiva de la oferta, debe haber en el mercado numerosas empresas que produzcan mercancías homogéneas; desde la de la demanda, deben existir numerosos compradores. Ninguno de los productores ni de los compradores ha de ser tan grande como para poder, con la correspondencia de su oferta o de su demanda, influir significativamente en el precio.*

*Hay muchos actores en el mercado y ninguno de los vendedores o de los compradores tiene más influencia que los otros en el precio. Lo importante es que las informaciones sobre oferta y demanda pasen libremente entre todos los actores del mercado. En este mercado se formará un solo precio. Es decir, en el mismo mercado, el mismo bien tiene el mismo precio. Los supuestos que requiere un mercado de competencia perfecta no se limitan a la existencia de numerosas empresas ofertantes y de muchos consumidores, pues hay que tener en cuenta otros factores:*

- *la libertad de entrada de nuevas empresas en el mercado*
- *la transparencia del mercado*
- *la homogeneidad del producto*

*Cuando el precio alcanza un equilibrio, dicho precio ha de ser igual al coste de producción conseguido por los productores más hábiles. La competencia, por lo tanto, elimina las empresas ineficaces y asegura que los recursos (las materias primas, el trabajo, el capital) se empleen sin despilfarro.*

*La competencia tiende a reducir los beneficios al mínimo necesario y esto es un poderoso factor de eficacia y de justicia social: evita la formación de beneficios injustos y al mismo tiempo deja la puerta abierta, gracias a la libertad de entrada de nuevas empresas, a la formación de beneficios justos, es decir, los beneficios corresponden a quien tiene una idea nueva, un nuevo proceso de producción o una manera innovadora de distribuir un bien o servicio.*

## UNIDAD 3. RECURSOS HUMANOS

Lo que se dice sobre...

### Coca Cola contra Pepsi

*Empresas con productos similares pueden diferenciarse por sus estrategias. Coca-Cola es la marca comercial más conocida del mundo, forma parte de la cultura americana, y su estrategia trata de mantener su hegemonía y explotar su imagen. Coca-Cola posee y opera pocas empresas al margen de su actividad principal. Por eso, dirigirla requiere una comprensión de su cultura y cierta sensibilidad hacia la marca. Por eso contrata licenciados con escasa o ninguna experiencia y les da una formación intensiva. El trabajo en Coca-Cola es seguro, casi vitalicio si se mantiene una productividad adecuada. Un sistema de promoción interna y aumentos por antigüedad retiene a los empleados. Sólo los directivos que han pasado su vida laboral en Coca-Cola acaban tomando las decisiones fundamentales.*

*Pepsi sigue la estela de Coca-Cola. Ha encontrado nuevos mercados y debe resolver desafíos más complejos. Necesita ideas innovadoras para identificar nichos de mercados y explotarlos. Pepsi contrata empleados con mucha experiencia y títulos de postgrado, y fomenta la competencia entre empleados. Funciona de forma descentralizada, cada división goza de considerable autonomía, y se evalúa el rendimiento individual y operativo. Los empleados gozan de menor seguridad en el trabajo y probablemente muestren una menor lealtad a la empresa que sus colegas de Coca-Cola.*

### Afirmaciones para el debate

- *La participación de los empleados fomenta:*
  - *La adopción de mejores decisiones*
  - *Mayor nivel de compromiso en los empleados*
  - *Menos supervisiones y directivos medios*

• *El trabajo en equipo responsabiliza al grupo de las decisiones de producción; fomenta la presión entre los miembros; incrementa la productividad y, en particular, permite alcanzar objetivos ambiciosos que requieren una buena dosis de creatividad y capacidad de resolución de problemas.*

• *La rotación en el puesto reduce la fatiga laboral, el absentismo y los problemas derivados de los frecuentes cambios de personal.*

• *La participación en beneficios ofrece un estímulo para identificarse con los intereses de la empresa y contribuye a asegurar que la autonomía de que gozan los trabajadores se usa en beneficio de la empresa.*

## UNIDAD 4. PUBLICIDAD, MÁRKETING Y DISTRIBUCIÓN

### Distribución comercial: el cambio necesario

*"De las tradicionales tiendas de las tres bes, "bueno, bonito y barato", a las que los sociólogos y urbanistas denominan hoy "las catedrales del consumo"; de las mercancías almacenadas en la pequeña trastienda, al control infomático de los stocks de cada producto; del hoy para mañana, a la recepción de la información en casa antes de adquirir el bien; muchos han sido los cambios que ha vivido el comercio, sector en constante evolución. Estas transformaciones han venido determinadas siempre por las preferencias y hábitos de los consumidores. Sin embargo, en nuestro país, el auténtico proceso de cambio no ha hecho más que empezar".*

### ¿Son siempre éticos el márketing y la publicidad?

*"La satisfacción de las necesidades de los consumidores confiere al márketing un cariz ético positivo, pero el consumidor también es vulnerable.*

*Una cuestión complicada es, por ejemplo, determinar cuál es el precio "justo", en la medida en que los conceptos de competencia desleal, discriminación de "precios abusivos" presuponen la existencia de algo así.*

*La publicidad también es en sí misma saludable desde un punto de vista ético, siempre y cuando el consumidor reciba una información adecuada y sea libre de elegir. Los problemas surgen cuando se aprovechan las emociones o si segmentos vulnerables de la sociedad, como los niños inmaduros, se convierten en su objetivo. Lo que está en juego es la responsabilidad social de las empresas".*

# UNIDAD 5. IMPUESTO

Lo que hay que saber sobre...

## El ITE

*El famoso ITE era un impuesto que aseguraba unos ingresos considerables para el Estado, fue el rey de los impuestos indirectos y estuvo en vigor en España durante muchos años.*

*El ITE gravaba el intercambio de bienes y la prestación de servicios y se aplicaba en todas las fases de elaboración y distribución del producto (desde el trigo a la harina, desde la harina al tahonero, del tahonero al consumidor); esta imposición en cascada hacía el tipo aplicable final mucho más elevado que el inicial y penalizaba los productos sometidos a varias fases de elaboración.*

*La aplicación del ITE era complicada para las exportaciones y las importaciones, en las que las fases de elaboración del producto no existía.*

*Era necesario reembolsar el ITE a quien exportaba ya que si el exportador se hubiera tenido que endosar el ITE pagado, habría estado en desventaja respecto a los competidores extranjeros cuyos productos no eran gravados en la misma proporción.*

*Así pues, en el banco de pruebas del comercio internacional el ITE resultó inadecuado y se produjo la sustitución del ITE por un nuevo impuesto, el IVA. El ITE fue la víctima por excelencia de la reforma tributaria acaecida en España con motivo de su incorporación al Mercado Común, actualmente Unión Europea.*

## Hacienda reduce un 2'7% las retenciones por IRPF para impulsar el consumo

*El Ministerio de Economía y Hacienda ha reducido un 2'7% las retenciones a cuenta del impuesto sobre la renta de las personas físicas (IRPF) para este año al descontar los efectos de la inflacción. Con la nueva tabla de retenciones, que entrará en vigor en febrero, Hacienda dejará de ingresar unos 80.000 millones de pesetas con vistas a estimular la economía de las familias: el Ejecutivo está preocupado por el lento despegue del consumo privado, que se está convirtiendo en un obstáculo para el crecimiento económico.*

*Alrededor de 300.000 trabajadores se librarán este año de pagar retenciones a cuenta del IRPF al elevarse un 13% –de 1.071.300 a 1.210.000 pesetas– los ingresos mínimos a partir de los que se establece la obligación de abonar adelantos a Hacienda.*

# UNIDAD 6. BANCOS Y FINANZAS

Algo de vocabulario sobre...

## Activos reales y activos financieros

*Conviene distinguir dos grandes grupos. El primero, el de los activos reales, incluye los bienes que tienen valor por sí mismos, por ejemplo la vivienda, el coche o los muebles.*

*Los componentes del segundo grupo, los activos financieros, apenas tienen algún valor intrínseco, no obstante se valoran por lo que representan. Así, un billete de banco, por ejemplo, por alto que sea su valor (y, por lo tanto, la capacidad de compra que incorpora), en sí no pasa de ser un trozo de papel. Algo parecido sucede con una acción, que representa parte de la propiedad de una empresa; o con un título de deuda pública, que representa un préstamo al Estado.*

*Por su parte, las deudas de la familia también están representadas por activos financieros que figurarán en su pasivo. Por ejemplo, si la familia ha comprado la vivienda con ayuda de un préstamo hipotecario, habrá firmado la correspondiente póliza y en el pasivo figurará lo que todavía deba. Para simplificar, los activos financieros que figuran en el pasivo de un sujeto económico son sus pasivos financieros.*

*Así pues, los activos financieros son reconocimientos de deudas: si son a favor del sujeto económico considerado, figura en su activo; y, si son contraídas por él, figuran en su pasivo (pasivos financieros). Dicho con otras palabras, los activos financieros que posee un sujeto económico en un momento determinado representan el saldo actualizado de la financiación que ha concedido hasta ese momento a otras personas o entidades; en cambio los pasivos financieros de un sujeto económico indican el importe actualizado de la financiación ajena que ha recibido.*

## Operaciones transnacionales

*Las operaciones transnacionales constituyen una gran parte de la actividad de la mayoría de los bancos.*

*La banca internacional es el conjunto de operaciones bancarias con residentes o no residentes en divisas. Las segundas son operaciones transnacionales o externas, y constituyen cerca del 85% del total de operaciones bancarias internacionales.*

*Hay que distinguir banca internacional de banca extranjera, consistente en operaciones de bancos extranjeros con residentes o no residentes de un país en el que tienen una filial.*

## Consejos. Negociar un préstamo con el banco

• ***Cuota.*** *En un préstamo hipotecario lo más aconsejable es que la cuota mensual a pagar no supere el 30 ó 40 por ciento del sueldo. Aunque, si se tienen pocas cargas familiares, se podría superar el porcentaje.*

• ***TAE.*** *Pida el tipo de interés TAE (Tasa Anual Equivalente) para su caso concreto. Refleja de forma más exacta que el tipo nominal el coste final.*

• ***Tipo variable.*** *Si el crédito es variable, pida el índice de referencia al que se revisará y el diferencial. Para los préstamos hipotecarios, los índices más frecuentes son: Mibor a un año, índice CECA, tipo medio de préstamos hipotecarios de bancos y tipo medio de cajas de ahorro.*

• ***Comisiones.*** *¡Ojo! La comisión de apertura afecta al total del préstamo. Además, si cree que podría pagarlo antes del plazo estipulado puede que no le interese una comisión por cancelación anticipada demasiado alta.*

• ***El pago.*** *Normalmente se puede elegir entre cuota mensual, trimestral o semestral. Lo más lógico es adaptar el plazo a la periodicidad de los ingresos.*

• ***Buen cliente.*** *Si es buen cliente exija las condiciones que mejor se adapten a su caso.*

## Comisiones

• *La implantación de la moneda única provocará la desaparición de una parte importante de las comisiones que se cobran por cambio de divisas.*

• *Como consecuencia de la implantación de la moneda única, la reducción de algunas comisiones se compensará con la generación de otras nuevas, vía asesoramiento y gestión de capitales.*

• *Aunque la competencia en este terreno es muy elevada, de alguna manera habrá que compensar el estrechamiento en el margen financiero que supondrá la teórica futura estabilidad de tipos de interés.*

• *El alto nivel de competencia en el sector financiero no permite una política decidida de aumento del importe de las comisiones.*

# UNIDAD 7. MERCADOS FINACIEROS. LA BOLSA

## El mercado de valores. La bolsa

*La bolsa es un mercado de títulos-valores en donde la oferta viene dada por las emisiones de nuevos valores o los deseos de venta de títulos ya existentes, y la demanda está constituida por los deseos de compra de los mismos.*

*Hay que distinguir entre el "mercado primario" en el que se canaliza el ahorro hacia la inversión y se instrumenta a través de los títulos, y el "mercado secundario" que tiene como finalidad potenciar el mercado primario dándole liquidez y donde se pueden negociar todo tipo de títulos admitidos a cotización.*

*La rentabilidad de los fondos colocados en acciones que se cotizan en bolsa tienen tres componentes: el dividendo, la diferencia de cotización y las ampliaciones de capital.*

*Funciones:*

*1ª. Canaliza el ahorro privado hacia la inversión.*

*2ª. Organiza la contratación de valores mediante el binomio oferta-demanda.*

*3ª. Proporciona liquidez de forma rápida a los ahorradores –al precio del mercado bursátil– ya que pueden transformar los títulos en dinero.*

*4º. Sirve de índice de referencia a las autoridades monetarias para tomar medidas coyunturales.*

### Acciones y obligaciones

*La empresas pueden obtener financiación mediante la emisión de acciones. Éstas son valores que representan una parte proporcional de la propiedad de la empresa, por lo que los fondos obtenidos mediante su venta se consideran recursos propios.*

*Esta participación en la propiedad de la empresa confiere "derechos económicos". El primero de estos últimos es el derecho a participar en el reparto de beneficios (dividendos), en el caso de que se produzca; por ello, las acciones son los títulos de renta variable por excelencia e integran lo que se llama el capital de riesgo. El segundo de los derechos económicos es el de participar en todo el patrimonio de la empresa, que origina el derecho preferente a suscribir la emisión de nuevas acciones.*

*Las obligaciones son activos financieros que representan una parte proporcional de un préstamo o empréstito a medio o largo plazo, concedido a la empresa emisora. Las obligaciones han venido siendo los títulos privados de renta fija más característicos, ya que su rentabilidad se establecía en el momento de la emisión sin depender, en principio, de la buena o la mala racha de la empresa.*

## UNIDAD 8. NEGOCIAR

Lo que se dice sobre...

### La relación

*Muchos occidentales, pero sobre todo los del norte de Europa y los norteamericanos, van directamente al grano. Somos técnicos: nos concentramos en hacer el trabajo, en el contenido. Pensamos que tras haber resuelto el problema quizá podamos tomarnos algún tiempo (si es que lo tenemos) para conocer a las personas con quienes negociamos.*

*Pero el contenido no es más que la mitad del problema. La relación con las personas es la otra mitad y las que proceden de otras culturas le atribuyen mucha más importancia. Seguramente, le pregunten: ¿De qué parte de Europa es?, ¿está casado?, ¿cuántos hijos tiene? Intentan comprender a la persona con la que están negociando.*

*El problema, para los occidentales, es meramente técnico. Para las culturas no occidentales, el problema es más bien personal; para ellos el problema es la relación entre las partes. Cuando la relación es sólida, cualquier dificultad meramente técnica puede resolverse sin dificultad.*

*Otras culturas otorgan un valor superior a las relaciones armoniosas, ¿por qué? En parte, ello se debe a que son más gratificantes que las relaciones negativas. Pero existe también una razón práctica estrictamente racional. Desean una negociación fácil y no sólo hoy o esta semana. La relación es la inversión que están dispuestos a realizar para asegurarse de que las cosas funcionan bien durante mucho tiempo. Al margen de los problemas técnicos que puedan surgir, la relación permanecerá constante a lo largo del tiempo.*

*Las culturas no occidentales desean llegar a tener la confianza necesaria para depender de sus interlocutores occidentales. Las personas que proceden de culturas en las que la relación de dependencia es importante no quieren asumir un riesgo con alguien en quien no confían. En una relación, siempre existe la posiblidad de engaño. Es algo intrínseco a un proceso, como el de la negociación en el que ambas partes ocultan la información que les puede ser desfavorable y beneficiar a la otra parte. La confianza reduce el riesgo inherente a las relaciones humanas.*

*La atención que se presta al desarrollo de la confianza refuerza la relación, lo que, a su vez, reduce el riesgo para ambas parte que lleva consigo toda negociación y proporciona la oportunidad de intercambiar promesas y compromisos. La confianza más elemental constituye la base que necesitamos para encomendarnos a la otra parte y viceversa.*

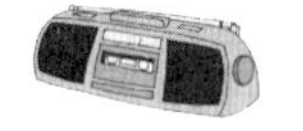

## La regla de oro

- *Lo primero de todo es negociar y acordar las reglas del juego entre las partes negociadoras.*
- *Se requiere llegar a una serie de acuerdos de prenegociación entre las partes sobre cuestiones fundamentales como el momento, el lugar, la duración, los participantes y el objeto de las negociaciones formales, así como sobre cuestiones aparentemente irrelevantes como la forma de la mesa de la negociación.*
- *Las decisiones preliminares sobre las normas de procedimiento forman parte de la negociación. Son fundamentales. Durante las negociaciones preliminares sobre cuestiones de procedimiento, cada una de las partes enseña a la otra la manera que tiene de negociar.*
- *Cualquier regla sobre el proceso o contenido de la negociación debe ser negociada.*

# CLAVES

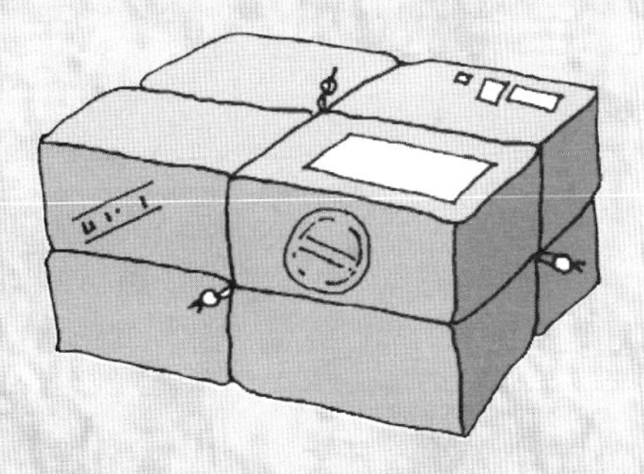

# UNIDAD 1: EMPRESA Y EMPRESARIOS

## ALGO DE VOCABULARIO SOBRE...

3. a) sociedad mercantil; b) capital; c) producción; d) lucro; e) mercado; f) demanda; g) oferta; h) producto; i) bienes; j) beneficio; k) producir beneficios; l) servicio; m) entidad; n) patrimonio.

4. **Empresa:** entidad integrada por el capital y el trabajo como factores de producción y cuyo objeto es la obtención de un beneficio.

5. a) sociedad mercantil; b) entidad, capital, trabajo, producción, servicios, lucrativos; c) mercado, demanda, oferta; d) producción, capital, trabajo; e) bienes, servicios; f) bienes; g) producción, bienes, servicios; h) producción, beneficio; i) capital, trabajo, producción, patrimonio, mercado, productos, beneficio.

## LO QUE HAY QUE SABER SOBRE...

1. **Fin social:** producir el máximo valor añadido, lo que equivale a producir puestos de trabajo, riqueza y utilidad para todos; **fin económico**: producir e intercambiar bienes y servicios.

3. **Capital:** valor de las propiedades de una persona o empresa; **trabajo:** acción de trabajar para producir riqueza; **servicio:** organización y personal destinados a cubrir las necesidades de una entidad; **empresario:** propietario de una empresa o negocio; **valor añadido:** se produce cuando se transforman unos bienes en otros bienes o servicios que tienen un valor más alto que los de partida; **lubricante:** producto que sirve para lubricar, es decir, hacer resbaladiza una cosa; **salario:** lo que se paga por un trabajo; **impuesto:** cantidad que ha de pagarse al Estado para que éste atienda las necesidades públicas.

4. Texto ordenado (ver en la sección de textos). a) falso; b) verdadero; c) verdadero; d) falso; e) verdadero.

## LO QUE SE DICE SOBRE...

1. a) empresario individual y sociedad mercantil; b) ser mayor de edad y tener la libre disposición de sus bienes; c) están compuestas por un grupo de personas que, voluntariamente y bajo una misma denominación o razón social, constituyen un fondo patrimonial común; d) entre los socios.

## LO QUE SE ESCRIBE SOBRE...

1. **Inicio:** membrete, encabezamiento, destinatario, nombre, dirección, población; **Cuerpo:** introducción, asunto principal, asuntos secundarios; **Final:** despedida, antefirma y firma, posdata, anexos.

2. **Membrete:** conjunto de datos, que pueden ir acompañados de anagramas, que distinguen al emisor de la carta. Aparece en la parte superior del papel que ocupa, toda la cabecera, la parte central o la parte izquierda. Suele constar de nombre, profesión, domicilio y población. En el caso de empresas puede aparecer el anagrama de la misma, así como la dirección telegráfica o el número de fax; **destinatario:** la persona, personas o entidad a quien se dirige la carta, suele figurar unos renglones más abajo de la fecha, con los datos que permiten su identificación; **fecha:** el nombre de la población, el día, el mes y el año se escriben en la parte superior derecha del papel, separando la población del resto mediante una coma; **referencia y asunto:** en las cartas comerciales entre empresas de una determinada envergadura, es conveniente señalar el departamento que envía la carta o la clave que ha de mencionarse en la respuesta, suele ir situada debajo de la fecha; **saludo:** la forma de dirigirse al destinatario de una carta comercial. Va situado en la parte izquierda del papel y seguida de dos puntos; **contenido:** en las cartas comerciales suele tratarse generalmente un solo asunto, aunque a veces puede haber varios. Normalmente hay una pequeña introducción, en la que se plantea el motivo de la carta y luego una explicación del mismo; **despedida:** suele aparecer separado del contenido de la carta y está situado a la izquierda. Va seguido de una coma, que antecede a la firma; **antefirma y firma:** todas las cartas van firmadas por la persona que las ha escrito. Según sea la relación con el destinatario, se pondrá el nombre o el nombre y el apellido. En las cartas comerciales a veces hay una persona que revisa la correspondencia poniendo el "visto bueno" al escrito, eso es la antefirma, debajo de ésta va la firma; **posdata:** cuando en una carta ya escrita se ha olvidado algo, suele añadirse después de la firma; **anexos:** si a una carta le acompaña algún otro escrito o documento, suele indicarse en la parte inferior izquierda.

3. d, i, a, b, c, e, n, k, g, f, j.

# UNIDAD 2: PRODUCTOS Y MERCADO

## ALGO DE VOCABULARIO SOBRE...

1. **Valor:** precio, cualidad de las cosas por la que se paga cierta cantidad; **demanda:** cantidad de un bien o servicio que se pide a un precio determinado; **consumo:** gasto de marcancías de uso, comestibles, servicios, etc.; **precio:** valor monetario de una cosa; **producción:** acción de producir, crear rendimiento, proceso económico y social de un país por el que un producto natural se transforma en un bien útil para los seres humanos y a través del cual surgen las relaciones sociales existentes; **rendimiento:** lo que produce una persona o cosa; **oferta:** presentación de mercancías para su venta en el mercado y cuyos precios están de acuerdo con la demanda; **distribución:** difusión de productos comerciales.

4. Texto ordenado (ver sección de textos).

5. **Producto:** productividad, mercancía, precio, consumidor, beneficio, monopolio, rendimiento, valor añadido, distribución; **mercado:** mayorista, coste, renta, consumo, estrategia, oferta, al por menor, proveedor, demanda, competencia, consumidor, minorista, beneficio, rentabilidad, al por mayor, productor, mayorista.

7. **Regla de oro:** producir mejor, en menor tiempo y con un coste reducido.

## LO QUE HAY QUE SABER SOBRE...

1. Competencia, oferta, demanda, oferta, demanda, mercancía, precio, demanda, precio, mercancía, precio, bien, demanda, precio, bien, oferta, productores, vender, demanda, oferta, precio, mercado, mercado, mercancía, precios, mercancía, consumidor, cantidad, precio, precio, consumidores, producto, precio, mercado, consumidores.

7. Agilizar la producción centrada.

## LO QUE SE DICE SOBRE...

1. a) desde la perspectiva de la oferta, debe haber en el mercado numerosas empresas que produzcan mercancías homogéneas; desde la de la demanda, deben existir numerosos compradores. b) la existencia de numerosas empresas ofertantes y de muchos consumidores, la libertad de entrada de nuevas empresas en el mercado, la transparencia del mercado, la homogeneidad del producto.

2. a) es casi inexistente en la realidad económica porque es difícil que estén presentes al mismo tiempo todos los presupuestos para su desarrollo. Es poco probable que todas las empresas sean lo bastante pequeñas para que ninguna de ellas influya en el precio y, sobre todo, es más improbable que las mercancías sean perfectamente homogéneas; b) en el mercado de algunos productos agrícolas y de otros pocos artículos manufacturados.

3. a) monopolística; b) la homogeneidad del producto; c) es posible encontrar mercados de competencia imperfecta o monopolística en todos los sectores. En ellos las empresas son todavía numerosas y no demasiado grandes.

4. **Competencia perfecta:** requiere la presencia de numerosos factores: pluralidad de productores y compradores, homogeneidad del producto, transparencia del mercado y libertad de entrada en él; **competencia imperfecta:** nos encontramos ante un mercado de competencia imperfecta cuando existen todos los caracteres de la competencia perfecta menos uno, la homegeneidad del producto.

La diferencia existente entre los productos puede ser natural (por ejemplo, las aguas minerales que proceden de distintos manantiales, aunque todas quiten la sed, poseen virtudes terapeúticas diferentes) o artificial, es decir, introducida por el fabricante. Pensemos en las distintas características de los detergentes, que gozan cada uno de ellos de una particularidad "insustituible", desde los gránulos azules al blanqueador o el suavizante incorporado.

5. El productor no puede imponer el precio que desee porque si el que fija es demasiado alto, los consumidores o los usuarios responderán reduciendo su demanda. Así pues, el monopolista deberá tantear la curva de demanda, es decir, la relación entre el precio y la cantidad demandada, intentando maximizar su beneficio –la dife-

rencia entre ganancias y costes–. El monopolista, por lo tanto, fija un precio al que corresponde la máxima ganancia neta.

### LO QUE SE ESCRIBE SOBRE...

1. a) a clientes, destinatarios diferentes; b) es una carta de comunicación comercial; c) carta comercial: circular.

2. Su objetivo es informar sobre los cambios o modificaciones que se dan en una empresa.

## UNIDAD 3: RECURSOS HUMANOS

### ALGO DE VOCABULARIO SOBRE...

3. **Contrato:** acuerdo o convenio entre varios por el que mutuamente se obligan a hacer algo; **empleo:** destino u oficio; **prestación:** acción y efecto de dar una cosa o prestar un servicio; **convenio:** pacto o acuerdo; **experiencia:** conocimiento adquirido con la práctica; **curriculum vitae:** conjunto de méritos, características y datos personales y profesionales, que permiten calificar a una persona; **servicio militar:** ejercicio temporal como soldado; **sueldo:** remuneración por un trabajo o servicio; **anuncio:** acción de anunciar; avisar, comunicar; **entrevista:** reunión de dos o más personas para tratar un asunto; **plantilla:** relación ordenada de empleados y dependencias de una oficina, banco, etc.; **formación:** efecto de formarse; educación e instrucción; **retribuir:** pagar o recompensar por desempeñar un trabajo; **puesto:** empleo, cargo.

### LO QUE SE DICE SOBRE...

1. a) ser licenciado con escasa o ninguna experiencia; b) formación intensiva a cargo de la empresa; c) es seguro si se mantiene una productividad adecuada; d) con un sistema de promoción interna y aumentos por antiguedad; e) los directivos que han pasado su vida laboral en Coca-Cola; f) empleados con mucha experiencia y títulos de postgrado; g) fomenta la competencia entre los empleados; h) los empleados tienen poca seguridad.

### LO QUE SE ESCRIBE SOBRE...

1. **Curriculum vitae:** escrito mediante el cual una persona informa sobre sí misma en lo relativo a los conocimientos, actividades, experiencias, etc., que puedan hacerla merecedora de un empleo.

# UNIDAD 4: MÁRKETING, PUBLICIDAD Y DISTRIBUCIÓN

## ALGO DE VOCABULARIO SOBRE...

1. **Sustantivos:** oferta, demanda, coste, desarrollo, estrategia, organización, ética, planificación, usuario, consumo, deuda, táctica, rentabilidad, marca, distribución, producto, técnica, promoción, investigación, mercancía, servicio, consumidor; **adjetivos:** costoso, productivo; **verbos:** competir, promocionar, promover.

**Oferta:** presentación de mercancías para su venta en el mercado y cuyos precios están de acuerdo con la demanda; **demanda:** cantidad de un bien o servicio que se pide a un precio determinado; **coste:** precio que se paga por obtener algo; **desarrollo:** crecimiento, evolución; **estrategia:** plan general de acción para conseguir un objetivo político o económico; **organización:** acción y efecto de organizar(se); **ética:** conjunto de normas de comportamiento que regulan las relaciones humanas; **planificación:** planificar, trazar un plan precisando los principales factores que se consideran importantes para conseguir un objetivo determinado; **usuario:** que hace uso de una cosa ajena, por derecho o concesión; **consumo:** gasto de mercancías de uso; **deuda:** obligación de pagar lo que se debe, normalmente dinero; **táctica:** habilidad para conseguir algo; **rentabilidad:** rentar; que da beneficios; **marca:** signo externo con validez legal que certifica el origen de un producto; **distribución:** difusión de productos comerciales; **producto:** objeto producido, especialmente por la industria o la agricultura; **técnica:** procedimiento para hacer una cosa; **promoción:** conjunto de actividades llevadas a cabo para aumentar las ventas de una producción; **investigación:** acción y efecto de investigar o indagar; **mercancía:** cualquier cosa que se puede vender o comprar; **servicio:** acción en beneficio ajeno; **consumidor:** persona que gasta o compra mercancías para utilizarlas; **costoso:** que tiene un precio alto u origina gastos; **productivo:** que da un resultado favorable entre precios y costes; **competir:** igualar en calidad una cosa a otra; **promocionar:** elevar o preparar el camino a algo o alguien para que pueda alcanzar fácilmente mayor prestigio, subir de categoría, etc.; **promover:** iniciar o activar algo que se acaba de empezar o está paralizado.

2. **Márketing:** conjunto de técnicas que coordinan y dirigen todo el aspecto comercial de un producto, con el fin de lograr el máximo beneficio en su venta o promoción.

3. **Función:** investigación y planificación comercial, organización de ventas y distribución; **objetivo:** seguir una labor de reconocimiento, llevar a cabo una buena estrategia y táctica comercial y prestar un servicio comercial.

4. Publicidad.

5. **Técnica:** buzoneo, de empresa a empresa, respuesta directa; **lugares:** puntos de venta, carreteras, autopistas, la calle, cabinas telefónicas, estaciones de metro, autobús, estadios; **soportes:** carteles, anuncios luminosos, folletos, cuñas publicitarias, exhibidores; **medios de difusión:** anuncios, teléfono, teletexto, cine, periódicos, televisión, correo, patrocinio, radio, revistas, spots.

7. Intermediario, canal de distribución, exportador, importador, consumidor, usuario, fabricante, transportista, sucursal, minorista, mayorista, consignatario, producto, comercio, fábrica, supermercado, mercado, agente, almacén, código de barras.

# UNIDAD 5: EL SISTEMA FISCAL

## LO QUE HAY QUE SABER SOBRE...

2. **Capital de marca:** es el activo que va acumulando el responsable de márketing de una empresa para garantizar la continuidad en la satisfacción del cliente y el beneficio para la empresa.

3. a) actitud del consumidor hacia la marca y conducta de compra; b) no sólo el consumidor; c) sistemas de información; d) disponibilidad y distribución; e) relaciones a largo plazo.

6. La clave del éxito a largo plazo del márketing electrónico a través de las redes informáticas reside en el desarrollo de nuevos productos o en la realización de ofertas a medida en serie dirigidas a los clientes, y/o en el diseño personalizado de mensajes de comunicación de la empresa a sus clientes actuales o potenciales.

9. Si no hay un comienzo rico en ideas y sugerente, no habrá curiosidad por la propuesta; si no hay un tratamiento individual al cliente, no habrá un trato positivo; si no hay empatía, no habrá simpatía; si no hay una escucha activa, no habrá una colaboración activa; si no hay argumentos pertinentes sobre las ventajas, no habrá un verdadero convencimiento del cliente; si no hay amor por la empresa propia, no habrá confianza en el proveedor; si no hay convencimiento sobre el precio, no habrá aceptación del precio; si no hay preguntas certeras, no habrá respuestas reveladoras; si no hay ofrecimiento de soluciones a un problema, no habrá interés por la oferta; si no hay un lenguaje claro, no habrá entendimiento; si no hay concisión en las palabras, no habrá posibilidad de decir mucho; si no hay apelación a los sentimientos, no habrá "apertura al sí"; si no hay reconocimiento de las señales de compra, no habrá ganas de enviar (otras) señales; si no hay entusiasmo por..., no habrá fe del cliente en...; si no hay "alegría de vender", no habrá "alegría de comprar".

## LO QUE SE DICE SOBRE...

1. a) las que los sociólogos y urbanistas denominan hoy "las catedrales del consumo"; b) control informático de los stocks de cada producto; c) la recepción de la información en casa antes de adquirir el bien; d) a las preferencias y hábitos de los consumidores.

## LO QUE SE ESCRIBE SOBRE...

1. Persuasivo, evocador, imperativo, humorístico...

# UNIDAD 5: IMPUESTOS

## ALGO DE VOCABULARIO SOBRE...

1. **Tasa:** cantidad de dinero que un particular paga a la Administración por el uso de un servicio público; **exención:** supone una liberación de pago de impuestos, basada en un mandato legal; **deducción:** acción o efecto de deducir, descuento; **declaración:** acción o efecto de declarar; **endoso:** acción o efecto de endosar un documento de crédito; **elusión:** se refiere a comportamientos que aprovechan la literalidad de las normas para crear contratos o negocios tendentes, exclusivamente, a minimizar el pago de impuestos; **gravamen:** carga, impuesto u obligación que recae sobre una persona o cosa; **patrimonio:** conjunto de bienes, propiedades, derechos y obligaciones, pertenecientes a una misma persona natural y jurídica; **tributo:** cantidad de dinero que un súbdito paga al Estado para colaborar en las cargas públicas; **evasión:** se refieren a actuaciones consideradas normalmente fraudulentas para evitar el pago de impuestos; **liquidación:** acción o efecto de liquidar, pagar completamente una cuenta; **inflacción:** desequilibrio económico caracterizado por un aumento de la cantidad de dinero en circulación provocado por un exceso de crecimiento de la demanda, que origina un alza general de los precios ante la pérdida de valor de la moneda; **renta:** beneficio que rinde o produce periódicamente un bien; **impuesto:** cantidad que ha de pagarse obligatoriamente al Estado para que éste atienda las necesidades públicas; **contribución:** cuota destinada a un fin, principalmente la que se impone para atender las cargas del Estado; **contribuyente:** persona que paga la contribución estatal.

3. Tasar; deducir; declarar; endosar; eludir; gravar; tributar; evadirse; liquidar; rentar; contribuir.

5. **Tasa:** cuando un ciudadano abona una cantidad a cambio de un servicio concreto, por ejemplo, si un ciudadano desea enviar una carta, pagará un sello por el servicio que le presta Correos. El sello representa la tasa que el ciudadano ha de pagar para poder utilizar el servicio postal. Así pues, las tasas afectan a los servicios "divisibles" que el Estado ofrece a sus ciudadanos y de los que puede gozar a discreción por separado; **impuesto:** los bienes públicos "indivisibles" que benefician a todos los ciudadanos y por los cuales el Estado les impone el pago de unos tributos que reciben el nombre de impuestos, precisamente por su carácter obligatorio. Un ejemplo de bien público indivisible lo constituye la existencia de las Fuerzas Armadas, que desarrollan un servicio destinado a toda la colectividad, o los transportes y comunicaciones o la educación. Todos estos bienes públicos están al servicio de la colectividad y los impuestos son el precio de dichos bienes, un precio que todos los ciudadanos están dispuestos a pagar de forma directa o indirecta, en base a su capacidad contributiva: quien es más rico o tiene más renta ha de pagar más.

6. **Ejemplo de impuesto directo:** el Estado retiene directamente de la nómina del ciudadano una parte de su salario; **ejemplo de impuesto indirecto:** el ciudadano paga una cantidad por cada litro de gasolina o por cada vídeo-casete que compra. La gasolina y el objeto comprado son el indicador de una renta que permite utilizar uno o varios vehículos y disfrutar de una serie de bienes de consumo.

7. Si un comerciante tiene que pagar un nuevo impuesto por su actividad, puede decidir hacer frente a esa "carga" aumentando los precios de las mercancías que vende. Por consiguiente, el comerciante ha pagado materialmente el impuesto al Estado, pero en realidad se lo ha "endosado" a los ciudadanos que han comprado su mercancía y que se convierten en verdaderos "gravados".

8. **Valor añadido:** el valor que un producto adquiere durante las fases de su elaboración.

## LO QUE HAY QUE SABER SOBRE...

2. Texto ordenado (ver sección de textos).

3. b) el IVA es un impuesto más "neutral" que el ITE porque este último gravaba de manera distinta incluso bienes iguales: al pagar el impuesto sobre todo el valor en cada fase, el gravamen total dependía de cuántas fueran las fases. En cambio, con el IVA el impuesto tiene siempre el mismo peso, sin importar el número de fases por las que ha pasado el artículo entre la producción y el consumo; d) en teoría sí, en la práctica, el sistema de la imposición sobre el valor añadido permite tener bajo control el volumen de negocios de cada participante en el proceso productivo y reduce la posibilidad de defraudar.

5. **Neutralidad:** el gravamen del impuesto es independiente del número de pasos en que se fracciona el proceso productivo; **transparencia:** se puede calcular en todo momento el impuesto incorporado en el precio de un bien.

## LO QUE SE DICE SOBRE...

1. a) Es un impuesto que grava las rentas obtenidas por las personas físicas; b) **gastos deducibles:** cantidades que se descuentan de los ingresos para determinar la renta neta que va a resultar gravada por el impuesto. Estos gastos son muy variados, dependiendo del tipo de rendimiento al que estén referidos; **deducciones:** detracciones que puede realizar el sujeto pasivo; c) los gastos deducibles se restan de los ingresos y las deducciones se restan del impuesto previamente calculado; d) **base imponible:** a los rendimientos íntegros obtenidos se le restan los gastos fiscalmente deducibles; e) **base liquidable:** a la base imponible obtenida se le pueden aplicar unas determinadas reducciones que se establecen por ley, por ejemplo, las aportaciones a Planes de Pensiones; f) **cuota íntegra:** sobre la base liquidable se calcula el impuesto bruto de acuerdo a una escala de gravamen; g) **cuota líquida:** a la cuota íntegra se le restan seguidamente las deducciones establecidas por ley; h) **la cuota líquida** es el impuesto neto que corresponde pagar en un determinado año.

## LO QUE SE ESCRIBE SOBRE...

1. **Albarán:** recibo que firma el destinatario de una mercancía cuando la recibe; **factura:** relación de mercancías que el vendedor entrega al comprador, cuenta detallada de una venta.

## TAREA FINAL

1. **Trámites a seguir para cumplir con las obligaciones tributarias:** La declaración anual del IVA es una cita importante que los contribuyentes deben respetar. La declaración es para la administración fiscal un medio de control sobre el volumen de negocios. Desde el 1 hasta el 30 de enero de cada año los que están sujetos al IVA tienen el compromiso de presentar esta declaración, en la que deben constar: a) todos los bienes entregados o los servicios prestados en el año anterior, ordenados según el tipo aplicable; b) la cuantía de las compras, de las importaciones y de las adquisiciones intracomunitarias para las cuales está admitida la deducción; c) la diferencia entre la cuantía de los impuestos que se mencionan en el apartado a y la de los impuestos deducibles a que hace referencia el apartado b. d) la cuantía de las cantidades entregadas en un concepto de IVA en el año anterior, con los comprobantes de las entregas correspondientes; e) la cuantía de las operaciones no sujetas al impuesto y de las exentas. De esta manera se determina la deuda o el crédito del impuesto que el contribuyente ha contraído con el Estado durante el año. Aunque no se hayan realizado operaciones gravadas con el impuesto, las empresas comerciales, los artistas y los profesionales están obligados a presentar la declaración anual del IVA.

# UNIDAD 6: BANCOS Y FINANZAS

## ALGO DE VOCABULARIO SOBRE...

1. **Activo real:** los bienes que tienen valor por sí mismos, un coche, una casa...; **activo financiero:** forma de mantener riqueza que se caracteriza por representar una deuda; es decir, representa la financiación concedida por quien posee el activo a quien lo emitió; **pasivo financiero:** activo financiero contemplado desde el punto de vista de quien lo emitió (o sea, que figura en su pasivo, como una deuda que es).

4. Los activos financieros son reconocimientos de deudas: si son a favor del sujeto económico considerado, figura en su activo; y, si son contraídos por él, figuran en su pasivo (pasivos financieros). Dicho con otras palabras, los activos financieros que posee un sujeto económico en un momento determinado representan el saldo actualizado de la financiación que ha concedido hasta ese momento a otras personas o entidades; en cambio los pasivos financieros de un sujeto económico indican el importe actualizado de la financiación ajena que ha recibido.

6. **Renta:** los ingresos que un sujeto recibe en un período de tiempo determinado; **ahorro:** parte de la renta no consumida; **desahorro:** cuando la renta no es suficiente para cubrir el consumo; **capacidad de financiación:** cuando el ahorro es superior a la inversión y, una vez realizada ésta, todavía haya ahorro excedente; **necesidad de financiación:** cuando el ahorro es insuficiente para hacer frente a la inversión; **gastos de consumo:** con los ingresos, el sujeto económico ha de hacer frente a la alimentación, vestido, ocio, transportes, etc.; **inversión:** acción o efecto de invertir, emplear el dinero en algo productivo; **sector:** empresa.

7. **Ejemplo de renta** de empresa: de la parte de los beneficios obtenidos que no ha sido repartida como dividendos; en el sector público, de los impuestos, del rendimiento de patrimonio; **ejemplo de gastos de consumo** en la empresa: no tiene gastos de consumo, mientras que se considera consumo público el gasto en sueldos y salarios de los funcionarios y las adquisiciones de material; **ejemplo de inversión** en la empresa: aumentan (o reponen) su capacidad productiva o el nivel de sus almacenamientos; el sector público, en mejorar la red de carreteras, etc.

8. a) Mediante la compra de activos financieros; b) puede recurrir a su ahorro acumulado (vendiendo los activos financieros que poseía); c) puede recurrir a la financiación ajena (aumentando sus pasivos financieros), o puede hacer una combinación de las dos acciones anteriores.

## LO QUE HAY QUE SABER SOBRE...

1. El gráfico representa la evolución de la capacidad/necesidad de financiación de la economía española durante el período 1965-1990. Cuando el ahorro global supera la inversión realizada existe un ahorro excedentario, lo que implica capacidad de financiación; si, en cambio, la inversión es superior al ahorro global, debe acudirse al ahorro externo para financiar la economía y, por tanto, resulta necesaria la financiación. Podemos observar los efectos negativos sobre la balanza de pagos que representaron las dos crisis del petróleo (1973-74 y 1979-80). Más recientemente, observamos que el proceso de crecimiento acelerado de la economía española ha supuesto un importante aumento de la necesidad de acudir al ahorro exterior para financiar dicho proceso.

2. a-6; b-5; c-3; d-2; e-4; f-1.

3. La **política monetaria:** atiende esencialmente al logro de la estabilidad monetaria; **política financiera:** centra su atención en el eficaz cumplimiento de las funciones del sistema financiero (fomento del ahorro, solvencia de las instituciones, variedad de activos financieros, eficaz asignación de los recursos y bajo coste de intermediación).

4. **Intermediarios financieros bancarios:** el Banco de España, las cooperativas de crédito, la banca privada y las cajas de ahorro; **intermediarios financieros no bancarios:** las compañías aseguradoras (sociedades o mutuas), los fondos de pensiones o mutualidades, los bancos oficiales, las entidades de "leasing", las entidades de "factoring", las sociedades de garantía recíproca, las sociedades y fondos de inversión mobiliaria.

## LO QUE SE DICE SOBRE...

1. a) falso; b) falso; c) verdadero; d) falso.

## LO QUE SE ESCRIBE SOBRE...

1. a-2; b-3; c-1.

# UNIDAD 7: MERCADOS FINANCIEROS. LA BOLSA

## ALGO DE VOCABULARIO SOBRE...

1. **Mercados financieros:** lugares donde se compran y venden activos financieros.

2. La **Bolsa** es un mercado financiero típico: en ella se reúnen compradores y vendedores para llevar a cabo las compras y las ventas.

5. a) mercado crediticio y valores; b) mercados primarios; c) mercados secundarios; d) mercado monetario; e) mercado de capitales; f) mercados directos; g) mercados intermediados; h) mercados públicos; i) mercados privados; j) mercados libres; k) mercados regulados.

## LO QUE HAY QUE SABER SOBRE...

1. **Solución:** compra y/o venta de activos y/o pasivos financieros; **factores:** los tipos de interés que esté percibiendo y pagando por sus activos financieros, los que espere cobrar y pagar si adquiere otros nuevos, su actual grado de endeudamiento, la estructura de los vencimientos (o sea, de la distribución en el tiempo de los plazos de devolución de sus deudas), etc.

2. a) No se otorga ni recibe nueva financiación; b) flujos de activos y pasivos financieros.

3. Las compras y ventas de activos financieros se realizan en los llamados mercados financieros. En ellos, los demandantes de financiación actuarán como oferentes de activos financieros, mientras que quienes ofrecen financiación actuarán como demandantes de activos financieros.

## LO QUE SE DICE SOBRE...

1. Texto: El mercado de valores. La Bolsa (ver sección textos).

2. a) verdadero; b) verdadero; c) falso; d) verdadero; e) falso.

## LO QUE SE ESCRIBE SOBRE...

1. **Letra de cambio:** es un título de crédito, formal y completo, que obliga a pagar a su vencimiento, en un lugar determinado, una cierta cantidad de dinero a la persona primeramente designada en el documento, o, a la orden de ésta, a otra persona distinta también designada.

2. **Requisitos esenciales:** la denominación de letra de cambio, la orden incondicional de pagar una suma determinada, la designación del librado, la designación del tomador, la fecha de emisión, la firma del librador; **requisitos naturales:** la fecha de vencimiento, el lugar de pago, el lugar de emisión, la cláusula a la orden.

3. **Librador** o acreedor: persona física o jurídica que emite la letra. El librador como creador de la letra y obligado a su firma para la validez de su emisión, es el garante de la aceptación y el pago de la misma; **librado** o deudor: es la persona que ha de pagar; es, por tanto, la persona a la que se dirige el mandato de pago de la letra y a cuyo cargo se libra ésta. Requisito fundamental para que el mandato de pago del librado sea efectivo es que se produzca la aceptación de la letra por parte de éste, de lo contrario, el librador será el responsable del pago de la misma; **el tomador:** persona a la que se ha de hacer el pago o a cuya orden se ha de efectuar. El tomador es el primer beneficiario del título tras su emisión; la designación del mismo es imprescindible para la validez de la letra. Su designación produce dos efectos: 1) impedir que la letra se libre al portador, 2) individualizar al primer acreedor cambiario, quedando así facultado para endosar la letra o para exigir el pago a su vencimiento.

# UNIDAD 8: NEGOCIACIONES

## ALGO DE VOCABULARIO SOBRE...

6. a) Definir claramente la meta; b) definir desde un primer momento la estrategia de la organización; c) definir los límites: un cierto margen de confianza, táctica y atar corto; d) mantenerlos informados.

## LO QUE HAY QUE SABER SOBRE...

3. Las negociaciones horizontales entre los dos equipos negociadores; las negociaciones internas dentro de cada equipo; las negociaciones verticales entre cada equipo y su organización jerárquica; las negociaciones externas entre cada uno de los equipos y otras partes interesadas, como la prensa, la opinión pública o el gobierno.

5. a) las partes; b) son las partes las que establecen los hechos; c) si existe alguna posibilidad de llegar a un acuerdo que beneficie a ambas partes y las partes no lo hacen, ambas partes salen perdiendo. Si existe alguna oportunidad de llegar a un acuerdo que beneficie a ambas y lo hacen, las dos salen ganando; d) sería estúpido irritar a quien tiene que resolver el asunto; e) tratamos a la otra parte como un adversario. Defendemos nuestra postura y tratamos de convencer a la otra parte de lo acertado de nuestras propuestas.

## LO QUE SE DICE SOBRE...

1. No hay reglas de oro en una negociación: cada parte adopta una postura basándose en sus percepciones, supuestos y valores.

3. Texto ordenado (ver sección de textos, "La relación")

## LO QUE SE ESCRIBE SOBRE...

2. **Acta:** relación escrita de lo sucedido, tratado o acordado en una junta.